ベトナムで見つけた

かわいい☆おいしい☆安い！

文と絵　杉浦さやか

祥伝社黄金文庫

本書は、祥伝社黄金文庫のために書き下ろされました。

まえがき

街を歩いていてふとベトナムでの暑い暑い日々が蘇《よみがえ》ってくる瞬間があります（たいていは繁華街のすえたにおいを嗅《か》いだ時……）。――強烈な白い日差しやヤシの木陰、市場の色とりどりの果物、人なつっこいおばちゃんとの値切り合戦、屋台のおいしいおやつ――いろんな風景の断片が浮かんできて、すぐにでも飛んで行きたくなってしまう。

初めてベトナムを訪れたのは'97年11月のこと。どこかアジアの国を旅してみたいな、と思っていた私が声をかけたのは友人のひろみちゃん。彼女は雑貨店を開くことが決まっていて、〝買い付け旅行〟なんて楽しそうじゃない！　とすぐに話が盛りあがりました。

ちょうどその頃、一足先にベトナムに行った後輩の女の

子が、街の素敵な様子やかわいい雑貨がたくさんあることを教えてくれました。東京にもベトナム雑貨が顔を出し始めていたけれど、大きなイメージと言えばまだ〝戦争〟というまったくの未知の国。ほとんど知識もないまま、トントンとベトナム行きが決定しました。

その旅で訪れたのはエネルギッシュな大都市ホーチミンと、しっとりと穏やかな北の首都ハノイ。初めて見るものばかりの2つの街を、いっぱい汗をかいていっぱい驚いて、夢中になって歩き回りました。外国でここまでリラックスできたのは初めてだなぁ、というくらいのびのび過ごし、私たちはすっかりこの国が気に入ってしまった。

そして'99年9月、再び2人で大好きなベトナムの地を踏むことができて——。今度はどんな人に会えるんだろう。どんなおもしろいものが見つかるのかな。買い付けと休暇を兼ねて、南北を縦断する旅の始まりです。

ƯỜNG MẦM NON TƯ THỤC
AM THĂNG
ĐC:32 HÀNG THIẾC

SAIGON ZOO & BOTANICAL GARDENS
VIETNAM

NHÀ HÀN
GẤU N
Hân hạnh đư

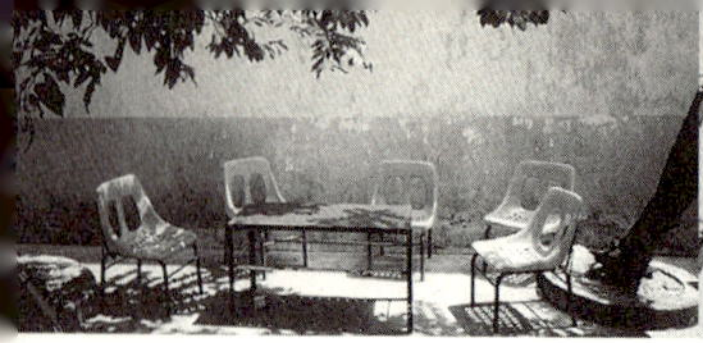

ひろみちゃん
高円寺の雑貨店
「WC'WD」オーナー
杉浦さやか
イラストレーター
大学の同級生です

はじめに

旅のカレンダー

そんなに長くは行けないし、かといってガツガツ忙しいのは嫌……ということで、絞りに絞って5つの街へ。前半の〝休暇の旅〟と後半の〝買い付けの旅〟の欲張り2本立てです。

メコンデルタ、ニャチャン、ホイアンではひたすら休暇を満喫。ハノイとホーチミンでは買い付けの嵐……といいながらしっかり街も楽しんで、何とも贅沢《ぜいたく》で充実した22日間になりました。

＊旅行期間は1999年9/25から10/17まで

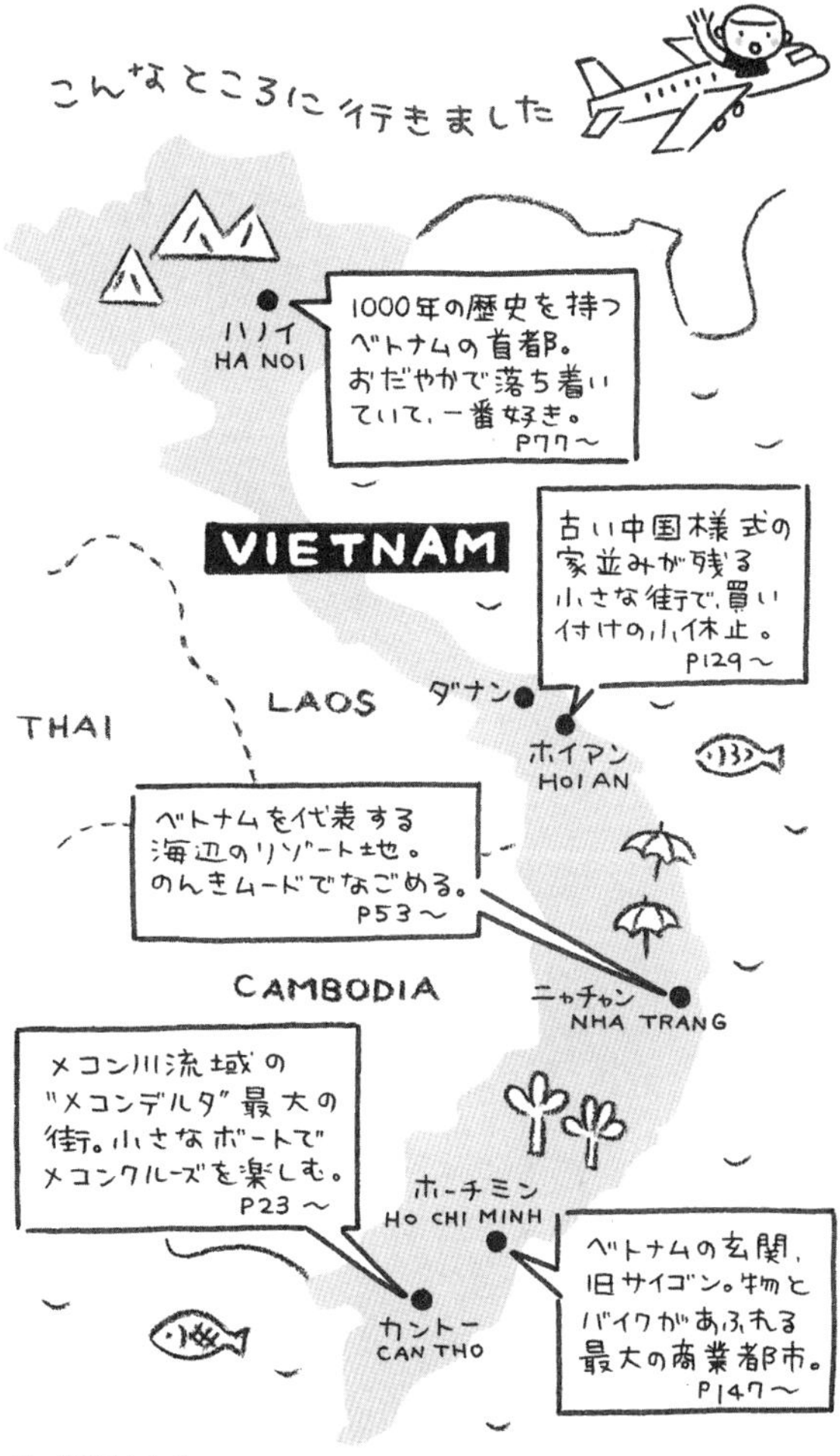
こんなところに行きました
ハノイ
HA NOI
1000年の歴史を持つ
ベトナムの首都。
おだやかで落ち着い
ていて、一番好き。
P77～
VIETNAM
古い中国様式の
家並みが残る
小さな街で、買い
付けの小休止。
P129～
THAI
LAOS
ダナン
ホイアン
HOI AN
ベトナムを代表する
海辺のリゾート地。
のんきムードでなごめる。
P53～
CAMBODIA
ニャチャン
NHA TRANG
メコン川流域の
"メコンデルタ"最大の
街。小さなボートで
メコンクルーズを楽しむ。
P23～
ホーチミン
HO CHI MINH
ベトナムの玄関、
旧サイゴン。物と
バイクがあふれる
最大の商業都市。
P147～
カントー
CAN THO

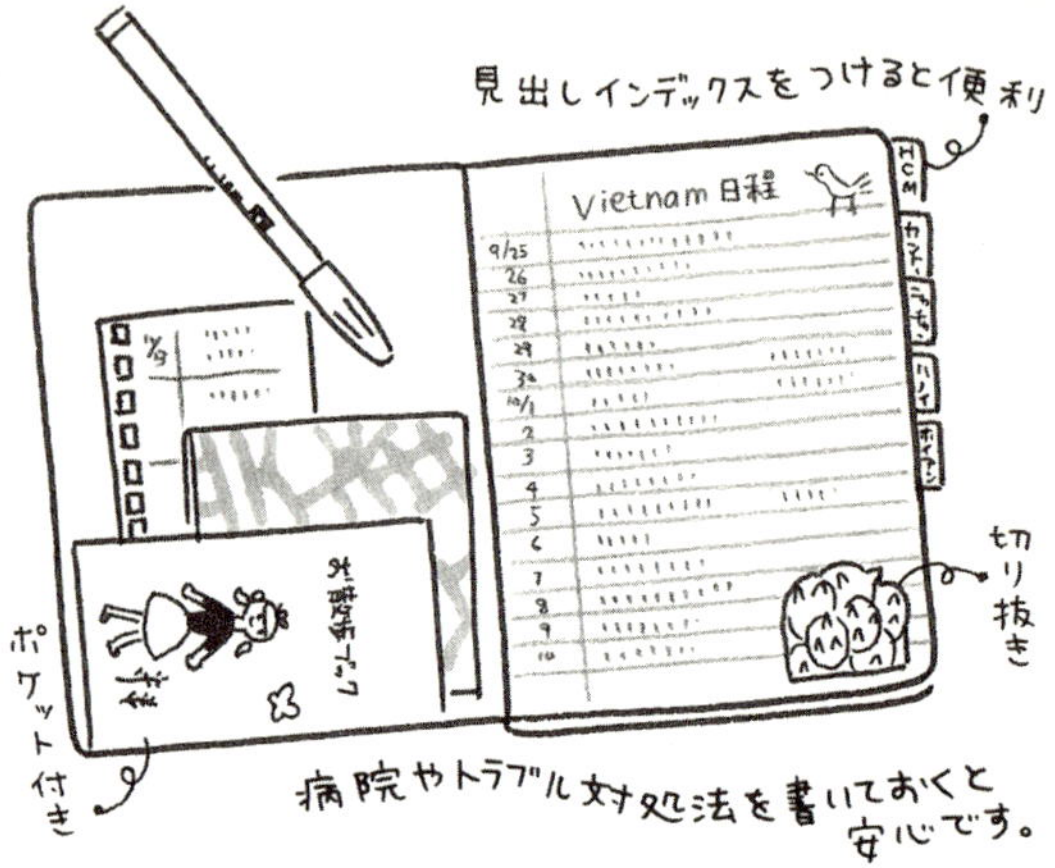
見出しインデックスをつけると便利
Vietnam日程
切り抜き
ポケット付き
病院やトラブル対処法を書いておくと安心です。

いつも一緒の旅ノート

旅行前にいつも、まず取りかかるのが旅のノート作りです。

場所別に地図を貼り付けて、ガイドブックと雑誌から行きたい店を書き出します。それからやりたい事や食べたいもの、大まかなスケジュールを考え、切り抜きを貼ったりイラストをつけたり。あれこれ思いをはせながら自分専用のガイドブックを作る、この作業がもう楽しくてしょうがない。

カバンにコンパクトに入って必要な地図や情報をパッと開けるこのノートは、実際とても役に立ちます。毎日フル活用してい

「ガイドベトナム・センチメンタル」
〈情報センター出版局〉
ベトナム・センチメンタル
+ラオス・カンボジア
写真が豊富できれい。
情報、コラムも読み物として十分におもしろくて、ガイドブックの中で一番好き。
言葉のシートを広げるとわらわら人が寄ってきて大いに盛りあがる。
●丸に載っています

たから帰る頃にはもうボロボロ！　それもまた旅の実感として、なんとなくうれしいものなんだけどね。

ただしそうやってはりきって作るわりには、書き出した店や場所の半分くらいにしか行けない私……。思いがけない出合いやハプニングは大事にしたいから、旅の目安として楽しんで作っているだけなのかも。

そしてノートの裏の主役が、最後のページに拡大コピーして貼っていった〝ベトナム語コミュニケーションシート〟。旅に必要ないくつかの単語や言葉が表になっていて、これがあったからこそ市場や地元の人たちと、楽しくおしゃべりができたようなものなのです。重宝《ちょうほう》すること間違いなし！

持っていったものあれこれ
ドライヤー
国内、海外両用ドライヤー
プラグはA-2とC-2
薬
風邪薬は多めに
正露丸
前回、今回ともに出番ナシ
セイロガン
ばんそうこう
虫よけスプレー
虫ガー
メコンデルタ
安ホテルに泊まる場合は蚊取り線香も。
ノドあめ。都市部の排気ガスにやられてしまう。
筆記具
常に持ち歩くメモ帳とボールペン（シャープペンはポピュラーじゃないらしく、筆談の時差し出すと必ず戸惑われた）
日記兼こづかい帳
電卓
収集物入れ
チケットやかわいいラベルなど、紙物をストックする袋。
お守り
友達が作ってくれたお守り人形はいつも枕もとに。
なんともイイ顔してる！
時計
薄ーくたためる目覚まし時計
石けん類
軽いアトピーなので石けん類はすべて持参なのがツライ。
つめ替えて、最後に捨ててきました。

着るものは…？

服

きれいすぎず小汚くもない、普段とほぼ同じ格好。

半袖シャツ5枚、パンツ2本、楽ちんスカート1枚。下着は洗濯するから3〜4日分。

バッグ

現地調達のわらのカゴに必要最小限のものだけ入れて歩く。

カゴはひったくられやすいので、食事中はひざの上か背中にがっちりはさむ。

靴

いつもはいているつっかけサンダルを持って行った。すご〜く楽で、移動日以外はほぼコレでした。

UVケア

相当強烈な日差し！対策は万全に。

・つば広の帽子

・日焼け止め

・手拭い

首の日焼け防止、排気ガスよけ、不潔な枕のカバー…と大活躍！

・うるおいパック

キモチイ〜

ひろみちゃんにめぐんでもらいました。

★持っていくべきだったのが長袖シャツ。川＆海の日差しは、日焼け止めだけじゃ太刀打ちできない。

洗濯日記
洗濯は少しずつ、ほぼ毎日していました
＊洗濯グッズ＊
すぐ食べ物をこぼすので…
洗剤
漂白剤
ロープ
"おしゃれ着用"
伸びたら嫌なものはネットに入れて洗う
ひろみ直伝
早く乾かすコツ
しぼった服をバスタオルですまきにして…
くるくる巻く
上からポンポンたたいて押して、水気を吸わせます
これをやると全然違う！
クーラーの風があたるところに干して…
部屋を空ける時は下着類は目立たぬところへ移動させます
バスルームの上のほうとか…

食費が一番安かった日…205円
夜 街の食堂
1万6000d (121円)
ビールが1万d(76円)しちゃう
市場のカフェ
3000d (23円)
ヨーグルト
昼 市場の食堂
8000d (61円)
高かったのは高級店に行った日で、1500円。

参考までにお金のこと

食事―朝食付きのホテルに泊まり、昼・夜は屋台や大衆食堂……これで通せば1日300円程度であがります。観光客向けの店は、1食で軽く5、600円はいってしまう。

ホテル―真ん中クラスの小さなホテル中心。1番高いのはホイアンの名物ホテル、1人1800円。安いのはホーチミンの安ホテル640円。平均は1521円でした。

交通費―ホーチミンで買い付けのため、タクシーにバンバン乗った日で2人で1200円位。他の街は歩きとシクロ(→P66)とレンタサイクルで充分こなせました。

かなり動き回って、贅沢でも貧乏でもない(……と思う)私たちの現地生活費は、現地ツアー代やおみやげ代も全部含めて1日平均4400円でした。

☆1ドル=106円=1万4000ドン
(1999年10月現在)

ホテルを探そう

ツインで7ドルのゲストハウスから２００ドルの高級ホテルまで、ホテルの選択肢はとても多い。「寝られればＯＫ！」という人は、とことん安く押さえられるはずです。

私はホテルではしっかり快適に休養したい派。旅の中でもかなり重要な部分を占めるので、真ん中レベルのミニホテルを中心に探しました。

その条件は——①清潔②明るい③スタッフが親切④ホットシャワー&バスタブ⑤エアコン⑥ＴＶ、冷蔵庫⑦便利な場所⑧狭すぎない⑨２人で３０００円位……とかなりずうずうしく厳しいもの。その点ミニホテルはたいてい新しいし、家族経営で雰囲気のいいところが多くて充分に条件をクリアーしてくれちゃうのです。

※ミニホテルは最近増加している、個人経営で10室前後の小さな宿。ツインで1泊15〜40ドルくらいの幅。

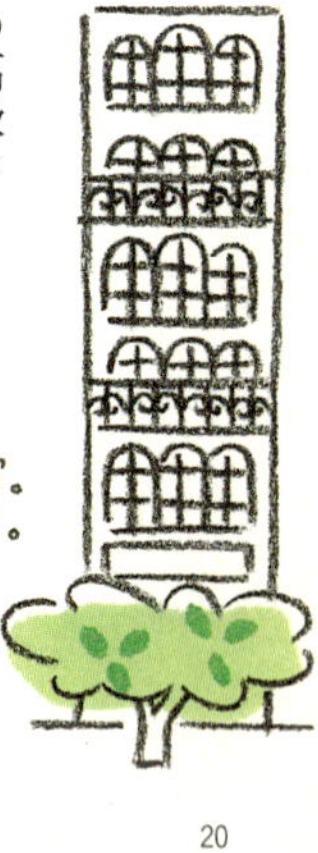

縦にびよーんと長い建物が多い

LET'S 部屋さがし

ガイドブックで目ぼしをつけて…
Xin chao《シンチャオ》
Can I see a room, please?
sure!
予算に合った部屋を見せてもらう
いくつか見て気に入れば決定
もっと広い部屋を
This room is nice. But It's a little expensive for us…
連泊する場合は↑と言って考えるそぶりを見せればだいたい値引きしてくれます

旅で会う日本人学生たちは皆3〜7ドルの安宿暮らしで、自分がすごく贅沢している気分になってしまった。 逆に空港でしゃべった日系企業のおじさんは、「6ドルの部屋なんてあるの!?」ってビックリしていたな。

本当は古くてベトナムっぽい宿がいいんだけど、そういう所は汚いのよね…。

COLUMN 1

ベトナム料理入門

ベトナム料理、大好き。毎日食べてもまったく飽きない。強いクセがなく、いろんな素材が混じり合った複雑な味が多いのに、さっぱりしていて食べやすい。大衆食堂と屋台のレベルが高くて、どこで食べてもたいがいおいしいのです。愛するベトナムごはんの中で、最も重要な要素がこの３つ。

① ヌックマム

小魚から作られる醤油《しょうゆ》。私は全然臭いと思わないけど……？　ライム、砂糖、唐辛子《とうがらし》などが加えられてテーブルに出てくる。大豆醤油のヌックトゥオンも味が濃厚でおいしい。

ヌックマム
ライム
唐辛子
基本の3つ。これで好みの
味を作りあげるのだ。

② 米

香りが強いほど良いとされているらしい。食堂の米はほんのり香りがするくらいで、気になりませんでした。おなじみのライスペーパーをはじめ、麺《めん》も米から作られているものが多い。

ヌックマム
香りの強い米を土鍋で
炊いた鳥肉入りごはん。
香ばしくておいしかった♡

③ ハーブ

シソ
コリアンダーは苦手…
ドクダミ

麺料理に生春巻、魚、肉、なんにでもどっさりてんこ盛りのハーブがついてきます。最初は抵抗があったけど、この葉っぱたちがさっぱり複雑味の秘訣《ひけつ》。

メコンデルタの旅

CAN THO

どうやって行く？　メコンデルタ

2年ぶりのホーチミン。夕方着の便だったので前回衝撃を受けた、どっと押しよせて来るような暑さは感じられませんでした。

ゆっくり感慨にふける間もなく、デタム通りのツアーオフィス〝シンカフェ〟へ直行。明日さっそくメコンデルタ最大の街、カントーに向かうというスケジュールの都合上、なんとか足を確保しなくてはならないのです。

メコンデルタ方面は交通の便が悪く、自力で行くには乗り心地が最悪と噂されるローカルバスがあるくらい。足さえあれば後は自由にまわりたい私たちは、シンカフェで〝オープンツアー〟（観光はなしで、エアコン付きのバスのみのツアー）を申し込むつもりでした。

ところがツアーデスクのおねえさんによると、メコンデルタへは観光付きのツアーしか出ていないのだそう。……観光ツアーかぁ。ゾロゾロみんなで歩いたり、好きなように動けなくてなんだか楽しさも半減しそう。

SINH CAFE（ツアーオフィス）／ 246-248 De Tham
＊ベトナムの住所はすべて通りの名前がついています。

ローカルバス
窓ガラスがないものも…。

それならローカルバスで行こうかなぁ、とつぶやくと、
「あのバスは地元の人にだってハードなの。……あなたのために言ってるのよ」
とものすごい真剣な顔で止められてしまいました。その後道中ですれ違うローカルバスといえば――。どれも超満員でぎちぎちの狭い座席、砂ぼこりと排気ガスだらけの道で窓はバリバリ全開。やめておいてよかった……。

　最大手シンカフェは同じ内容のメコンデルタツアーを毎日催行しているので、途中でツアーから抜けて自由行動をとる、なんてワガママも気軽にできます。私たちは1泊2日のツアーの1日目に参加した後、ツアーと別れてカントーにもう1泊滞在。翌日カントーにやってきた別グループのツアーの2日目にのっかる、という形をとりました。

　これが大正解！　ツアーはやっぱりせかせかしているので、1日メコンの街をゆっくり散歩できて大満足でした。

ツアー代はホテル込みで25万d(1893円)

2デイ1ナイト・メコンデルタツアー

全長4千キロのメコン川の終着点、ベトナムの食を支える豊かな大地。1番ベトナムらしい風景に出会える気がして、訪れるのを楽しみにしていたメコンデルタ。

私たちが参加したツアーは要所をまわりながらカントーに向かい、ホーチミンに戻ってくる1泊2日の旅です。

朝8時、カフェの前に停まった大型バスに乗り込むと、約40人もの参加者でほぼ満席の状態。日本人が8人、後は様々な国からの欧米人ツーリストで占められていました。

ベトナム戦争時の基地が残るジャングル、花園、水上マーケット、ライスペーパー工場などを見学して、間にはボートトリップもたっぷり入ってくる盛りだくさんな内容。

期待と不安を胸に、メコンデルタに向けて出発！

HAU GIANG B (ホテル) / 27 Chau Van Liem

昼食は決められた店で
自分持ち。2日とも
まずかったー。

川の上のフローティング
レストランで、油ギトギトの
野菜いためのせごはん。

2人組で参加していた
愛媛の大学生

◀ベトナム人のガイドさんによる解説は
英語。聞きとるのもだんだん疲れてきて、
ボーッとするしかないのがツライ。

ブロンソン似のガイド氏。ジョークを混じえつつ…

HOTEL

ツアーに含まれるホテルは、
"ハウザンB"という古くて暗い
安ホテル。ホットシャワー、ファン付き
のツインで通常は8ドル(848円)。
ベッドに小さーいアリがたくさんいる
のには涙…。

◀古さがかえって
かわいいんだけど、
快適とは言い難い。

バンビ&ハープ柄
のランプカバー

国道1号線を南下する

ツアーバスはゆく

ツアーも楽で悪くないかな、と思ったのがバスでのすこぶる快適な移動。

ひんやりエアコンの効いた中、荷物の心配もなく過ごせるのはやっぱりうれしい。

窓の外には椅子《いす》代わりにハンモックが並んだいかにものんきそうなカフェや、シュロ葺《ぶ》きの小さな家々、日本の田舎《いなか》とそっくりな懐かしい田園風景が広がります。

車窓の風景をぼんやり眺め、時にはうとうと眠って、行き帰りそれぞれ約4時間の車中の旅を楽しみました。

どんな田舎でも、必ずカフェだけは
何軒も並んでいるのには驚き。

どこも店の前に大きな木
や鉢が置かれ、涼しげな
影を作っています。

◀水田の中をアヒルの
集団がスイスイ泳ぐ。
アヒルはポピュラーな
食材なのだ。

畑や田んぼの中に突如現れる
お墓。「なんで？」と思っていたら、
先祖の魂が作物に入って、
新しく生まれ
変わる、と信じ
られているんだって。

ゆらゆらボートトリップ

ホーチミンを出て約3時間、バスはメコン川のほとりに到着。モーター付きの小船に乗り込み、いよいよ川下りの始まりです。

　ねっとりした気持ちのよい風が船の上を吹き抜けて、何とも言えずいい気分！　ヤシやシュロの林を縫って、ボートは思ったより川幅の狭い所にも入って行きます。すぐ脇に小さな家が建ち並び、生活を覗《のぞ》き見しているようで何だか申しわけない気分……。

　最後のほうはウトウト眠ってしまったくらいボートの時間がたっぷりあって、もうお腹いっぱい十分に満喫できました。

多くの家の前にお供えの台があって、花などが生けられている。

高床式の家が並ぶ
川の上のスーパーマーケット

メコンデルタは三毛作の米所。家族総出で
米の脱穀や袋詰め作業に
精を出す光景が目につきます。

ジャングルクルーズだー

コーヒー牛乳色のメコン川

物を運ぶ、行水をする、食器を洗う、遊ぶ。
川は人々の生活の真ん中にあります。
家の窓から直接川に飛び込む生活って…
スゴイなぁ。

洗濯物のカーテンの下で洗髪中。
ヤシの木陰で洗濯もの
弟の風呂の世話を焼く兄ちゃん。

細ーい橋

ジャックフルーツの木

学校帰りの小学生

メコンの日差しは強烈!!

なめて油断していたら、皮がむけるくらい首が焼けちゃった…。

あわてて手拭いを巻いたものの、時すでに遅し。

白人女性は気にしないみたいで、みんな肌をたくさん出してまっ赤にしていました。年配のツーリストもタンクトップにショートパンツ、背中には一面のソバカス。これはこれでかっこいいかも…。

逆にボートこぎのベトナム
人女性は必死!に
日よけ。長袖、
長ズボン、手袋、
スカーフ…
暑くないの!?

その対比がおもしろかった。

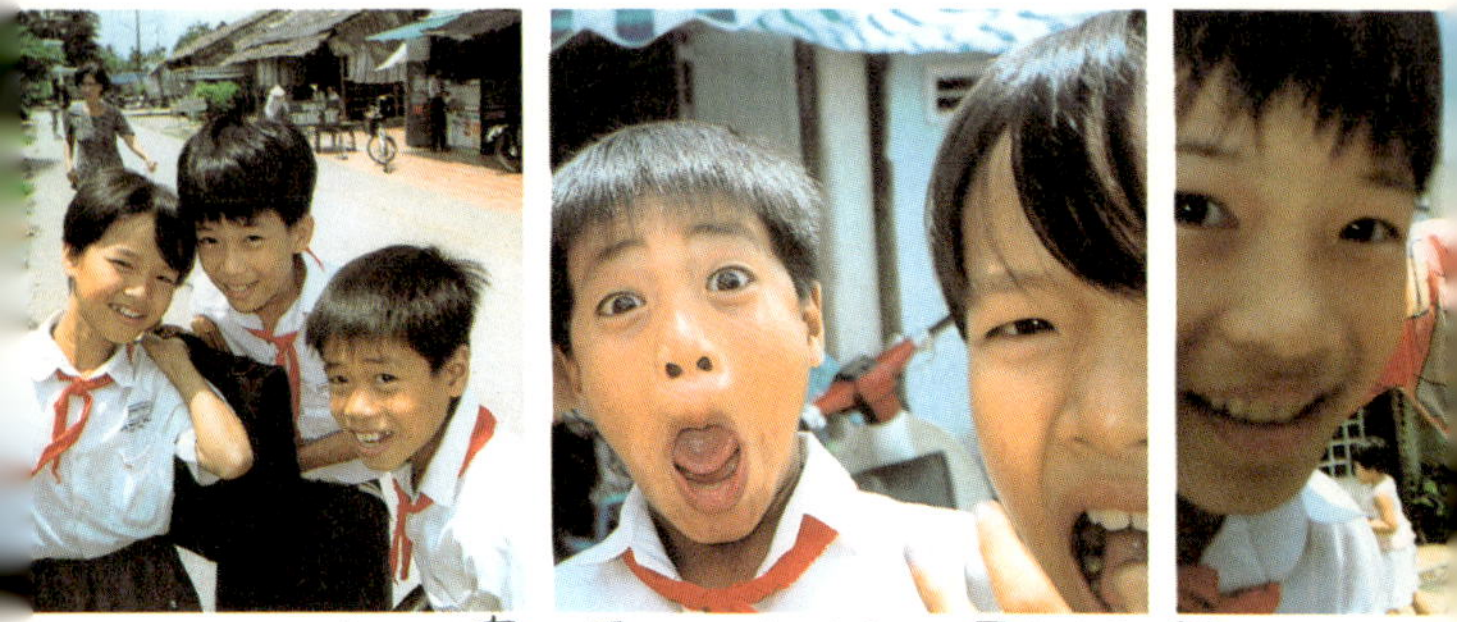

私からカメラを奪って撮りまくった、かわいい悪がき3人組

メコンデルタの子供たち

ベトナムの子供は本当にかわいい。長い手足、屈託がない大きな目はキラキラしてみんなやんちゃで賢そう（都市部にはそうもいかない子供も多いのだけれど）。

特にメコンデルタは、生き生きとよく働きよく遊ぶ子供たちの姿が印象的でした。ものすごくはずかしそうに自転車の上から手を振る男の子、「ハッローウ！」って叫びながら川に飛び込むお調子者の女の子。毎日ツアーボートなんて通るだろうに、珍しそうにうれしそうに、子供たちは手を振る。

それにしても… こんなにかわいい子供たちの数のわりにカッコイイ男性が少ないのは、なぜ？

一人で路上市場の店番中
いっちょまえにピアスしてる
ツアーボート乗り場にたむろする女の子たち
臆することなくどんどん話しかけてくる。9才なのに、ドキッとするくらい大人みたいな顔をした子だったな。
ハウ アーユー？（いくつ？と聞きたい）
バナナ満載
水上市場でお母さんのお手伝い。
白シャツに赤いタイが小・中学校の制服。

かわいい窓

ベトナムのおうちは、ガラスの入ってない鉄枠付きの窓が主流。南部は花、太陽、波などをモチーフにした凝《こ》った枠が多くて、初めて見た時は「なんてかわいいんだ！」と大興奮。微妙にデザインが違ったりカーテンとのコーディネートが素敵だったり、見つけるのがすごく楽しかったな。

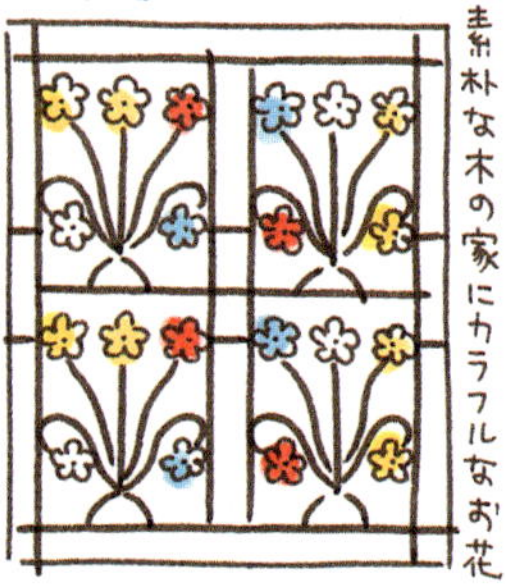
MEKONG DELTA
素朴な木の家にカラフルなお花

珍しい竹のモチーフ
HO CHI MINH

窓じゃないけど…
エッフェル塔のレリーフが素敵な鉄の門
HO CHI MINH

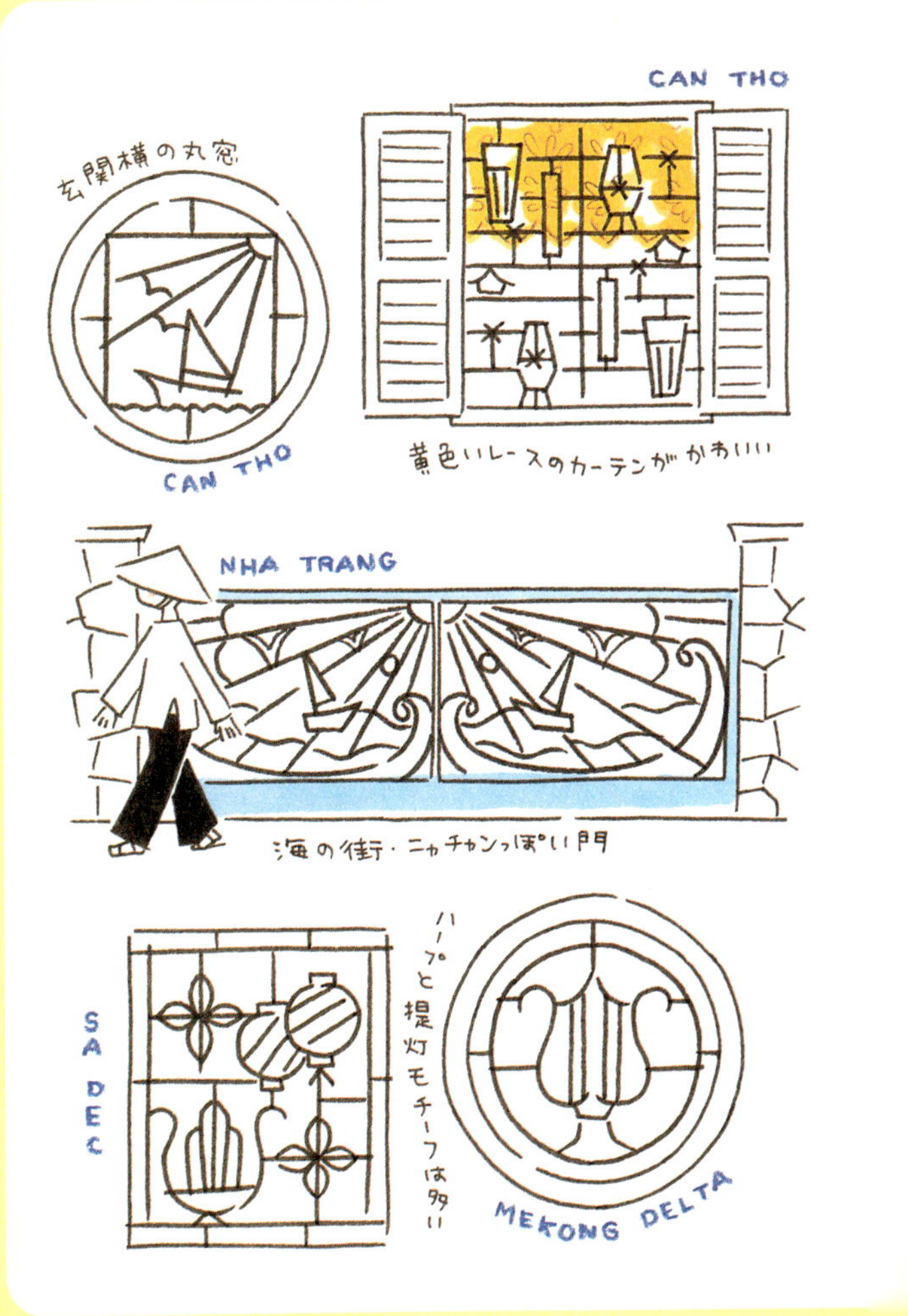
CAN THO
玄関横の丸窓
CAN THO
黄色いレースのカーテンがかわいい
NHA TRANG
海の街・ニャチャンっぽい門
SA DEC
ハープと提灯モチーフは多い
MEKONG DELTA

鳥は生きたまま店頭に。しばられているのは
食用で、カゴに入っているのは卵用か？

カントー市場の昼下がり

2日目の朝、ツアーと別れて1日カントーを散策。まずは街の顔、川沿いの市場へ。ほぼ生鮮食品オンリーだから（外側には雑貨屋がある）、買い物ではなくその活気を、散歩を楽しむカントー市場。どこよりも元気で、この旅で歩いたいくつかの市場の中でも1番のお気に入りです。

午前中はおばちゃん同士の真剣勝負が繰り広げられていて、ちんたら歩くにはちょっと申し訳ないような雰囲気。お昼をまわる頃にはお店の人たちも優しい顔に戻って、のんびりお散歩できました。

市場で食べる

市場の中の食堂エリア

ベトナム麺の代表、フォー

✻クセのないうまいレバー入り、一杯5000d（38円）。
席を立ったとたん、物乞いの子供たちが残飯にワーッとむらがったのにはビックリ。お店のお姉さんも黙認しているみたいだった。

食堂街の食器は川の水で洗う。まさか料理も…？

✻シントー（フルーツ シェイク）屋さんでハーブのシェイクに挑戦。

飲んだことないけど、薄くて甘い青汁って感じ…。
3000d（23円）

新鮮な青菜、水揚げされたばかりの魚貝。
いろんな匂いが混じり合って、
ぎっちりと店が並ぶ。

きれいな色合い…！

市場のあちこちで見る
頑丈でかわいいカゴ

めっちゃイイ笑顔の
バゲット屋さん

ブドウがのれんの
ようにつり下がる

果物屋のディスプレイは
目を見張る美しさ。
これを毎日飾っては
しまって… すごい
労力だー。

市場の奥は川に面していて、
果物や魚などが運びこまれている。

他の街では見なかった
おしゃれなターバン
ばあさん。ビニールの
パンツもオシャレだが、
暑そう…。

ピーピーにぎやかな
卵&ひよこ屋さん

夜の市場はすっかり
商品が片付けられて、
子供たちの遊び場に。

商品台の上で暴れて
いた3兄弟

窓からは川が見える。
2人で35ドルを28ドル
(2968円)にしてくれた。
涼しーい

ホテル〝ニンキエウ〟

ツアーと離れてもう1泊するなら住み心地のいいホテルへ……ということで、ガイドブックから選んだ〝ニンキエウ〟へ。

すぐ前が川で隣りは公園、さらに市場にも近いというすばらしい立地条件。広い敷地内には水上レストランがあって、そこで食べる朝食はとても気持ちがよかったな。

部屋は明るく清潔、そして何よりエアコン付きで涼しいのがうれしかった！　カントーでの1日は本っ当に暑くて、1〜2時間散歩に出てはバテバテになり、体力補給に涼みに帰る——これの繰り返しでした。

NINH KIEU (ホテル) / 2 Hai Ba Trung

隣のニンキエウ公園には、巨大な銀ピカホーチミン像。
やはりなんとなくこういう写真を撮りたくなる。
夕方の公園は風船売りが何軒も出て賑やか。川に面したベンチはカップルたちに占領されます。

カインチュア CANH CHUA を食べる
メコンデルタ名物の甘酸っぱいスープ。ホテルのレストラン、空にはちょうど満月が…。
雷魚、トマト、オクラ、パイナップル、モヤシなど超具だくさん。トマトの酸味がオイシ〜。
ここのはナベ形式で 3万5000d（265円）

夕陽を見に行こう

ニンキエウ公園付近を歩いていると、個人でボートクルーズをやっている人たちからお声がかかります。ホテルと街を往復する度《たび》に声をかけてきたおばさんの船に、1時間2人で3万d（227円）の約束で乗ることにしました。

モーター付きの小船に乗り込んで、夕暮れの迫るメコン川を出発。裸足の足を投げ出してのんびりのびのび。前にでかい背中がないのがこんなにうれしいなんて！

自転車で家に帰る小学生、夕ごはんの支度、川べりの家々からはテレビの明かりが

船の上で父子が凧あげをしていました。
目が合うとお父さん、子供みたいに
ニコーッと笑って
凧を指さしました。
BGI

出航してしばらくは かなり川幅が広い。最高に気持ちいい！

もれてくる。日本でも夕方にヨワイ私はやさしい川の表情に、妙にセンチメンタルな気分に……。雲が多くてサンセットはイマイチだったけど、大大大満足でした。

たった1時間のクルーズのはずが、長く乗せて料金を増やそうという作戦らしく、かなり狭い川にも入って行きました。結局岸に着いたのは約2時間後！　明日乗っかるツアーのガイドさんに話を付けに行く約束があったので、時間がないから早く戻って、って何度も言ったのに。

降りる時もめるかな、と少しヒヤヒヤしたけど、戻ってって言ったよね？　と5千d（40円）だけ多く渡したら、がっかりした顔であっさり受け取ってくれました。

カイラン水上マーケット

メコンデルタの旅最終日、シンカフェツアーの2日目に合流しました。参加者は14、5人とだいぶ少人数。前のグループは日曜日を含んでいたから多かったのかな。

まずはこの日の目玉、カイラン水上マーケットへ。着いた10時にはピークはとっくに過ぎていて、市場はすっかりのんびりモード。もっとも6時や7時の最盛期にツアーボートなんて入ってこられちゃ、邪魔でしょうがないもんね。

本当の活気を見たい人にはちょっぴりさみしいかも。ここには自力で来たかったな。

野菜、果物を満載したボートと、卸売り業者の船が売買を行う水上市場。

カニ屋さん♡
竹ざおの先に商品をぶら下げた看板
果物屋さん
足で踏むクラクション付き。船と船がギリギリのところを行き交うから。
ぶつかった時のクッションに、古タイヤがついている。

◀バインミー（バゲットサンド）屋やフォー屋もちゃんといる！

みんなけっこうウレシそう

2、3回他のツアーボートとすれ違う。"キムカフェ"は乗っている欧米人が全員すげ笠をかぶらされてておかしかった。

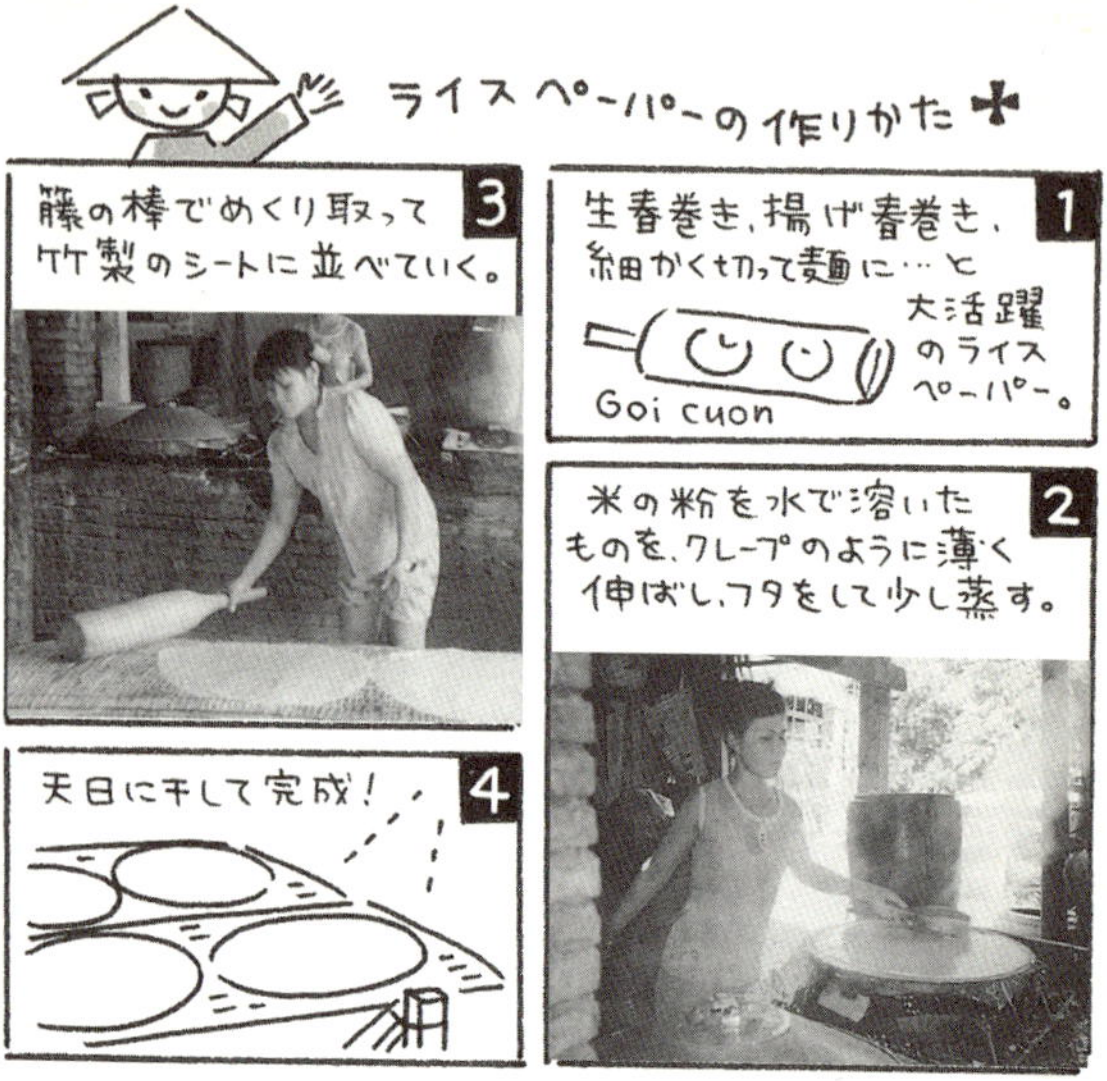
ライスペーパーの作りかた
1
生春巻き、揚げ春巻き、細かく切って麺に…と
Goi cuon
大活躍のライスペーパー。
2
米の粉を水で溶いたものを、クレープのように薄く伸ばし、フタをして少し蒸す。
3
籐の棒でめくり取って竹製のシートに並べていく。
4
天日に干して完成！

ライスペーパー工場

ベトナム料理になくてはならない、ライスペーパーの製造工場を見学しました。

工場といっても半オープンエアで家族経営の素朴なところ。ツアーは毎度のことらしく、皆淡々と黙々と作業に励んでいる。

興味深かったけど工場の人たちと交流もなく、本当に見るだけなのはやっぱりツアーだから……。

ツアーは便利ですごい充実度。でも、やっぱり制約も大きかった。

ツアーも無事終わり、
夕方ホーチミンへ。

レモ○グラス事件

メコンデルタの旅を終えて、今夜は贅沢《ぜいたく》しよう！　と〝レ○ングラス〟に行ってみることにしました。

以前取材で訪れた友人のおすすめで、ガイドブックや雑誌にも必ず載っているホーチミンの高級店です。キャンドルの明かりの中での豪勢なベトナム料理、ウェイターは礼儀正しく親切で、とにかく上品ーな雰囲気。ところが……。

その親切なウェイターが持ってきた会計が異常に高い。2人で74万8千d（約５７００円）!?　そんなバカな……。でも高級って言ってたから、それくらいするの？

頭の中が真っ白になって、おかしいと思いながらもとりあえず払ってしまいました（今思うとなぜ？）。半泣きで席を立ったところで、やっぱりどう考えたって変。入口に

チキショー
それに負け惜しみじゃなく
まあまあ、のお味だったよ。

いたアオザイ姿の女性に声をかけてみました。

すると途端にさっきのウェイターがあわ喰ってすっとんで来て、言い訳を並べ立てながらお金とレシートをよこしてくるではないか！　本当の値段は15万5千d（1150円）。

「この人ウソツキ。おかしいよ！」

私は女の人に言い捨てて店から出てきてしまいました。チョロイと思われたことがくやしかった。資料用に写真なんて撮ってたから？　撮りましょうか、なんつってニコニコと優しげなことを言ってきておいて、余計ムカつく。

その男も許せなかったけど、自分にも腹が立ってしょうがなかった。とことん確かめずに1度はお金を払ってしまったこと、不正がわかった時にきちんと抗議しなかったこと……。カーッときちゃってちゃんと文句が言えなかった。

未遂《みすい》で終わった、史上最大のボリ事件でした。どこでボラれるか油断も隙《すき》もない！

COLUMN 3

愛《いと》しのコムビンザン

ＣＯＭ＝ごはん、コムビンザンはベトナムの定食屋さんのこと。好きなものをちょっとずついろいろ食べられるし、安くて（60～80円）栄養バランスもよく、何よりうまい！　近所にあればなぁ……と１番思うのがこれ。街のあちこち、市場の中には必ずあります。

ニャチャン・ダム市場
プラスチックのバケツの上に…
スープ
市場の立てヒザ率高し！

ドンドンッとのっている山盛りのおかずの中から、食べたいものを指さして選ぶ。席で待っていれば、すぐにごはんとスープとともに運ばれてきます。

おかずは1つずつ値段が決まっている。会計が納得いかない場合は、内訳を聞いてみよう。

肉、魚は少し高め。

コムビンザン南VS北

南 南部はおかずをごはんの上に乗せる"コムディア"（＝皿飯）というスタイル。必ずスープが付いてくる。

4回食べたカインチュア(P43)の中で、フツーのコムビンザンで食べたものが一番でした。
芸術的なナプキンタワー
1万d(78円)

おかずとごはんが別々。個人的にはこっちのほうが食べやすい。そしてハノイのコムビンザンはおかずのディスプレイがどこも見事。本当においしそうで吸い込まれてしまう。 北

洗面器でゴハン!
9000d(68円)
▲これは2人分

ごはんの友、チャ・ダー
(冷たいお茶)も南北で変わる。
南はハス茶(大好き♡)、北は緑茶っぽい味。

☆北でも南でも客がたくさん入っている店を選べばはずれなし。同じようなコム屋が並んでいて、左はガラガラ、右は満員なんていうキビシーことが本当にあるのです。

ビーチリゾートの旅

NHA TRANG

今まで街を歩きまわる旅ばかりだったのが、去年の夏ギリシャの島を訪れて以来、何もしないで海辺でのんびりするだけってのもいいもんだな、と思い始めました。ベトナムのビーチ・リゾートは果たしてどんなものだろう。白い砂、青い海?……なんとなく想像できない。ベトナムを代表するリゾート地、ニャチャンに確かめに行ってみよう!

統一鉄道に乗って

ホーチミン―ニャチャン間は距離が短くてちょうどよかったので、乗ってみたかった列車で移動することにしました。サイゴン駅午前8時発、ハノイ行きの統一鉄道。ニャチャンは次の駅だけど、それでも約7時間かかります(ハノイまでは34時間!)。

車内には椅子席と寝台席があって、日本の旅行会社に昼間で短い距離だから椅子で大丈夫、と言われチケットを申し込んでおきました※(ソフトシート2000円)。

入口で女性乗務員にチケットを見せると、寝台にしなさいよ、とベトナム語で言っ

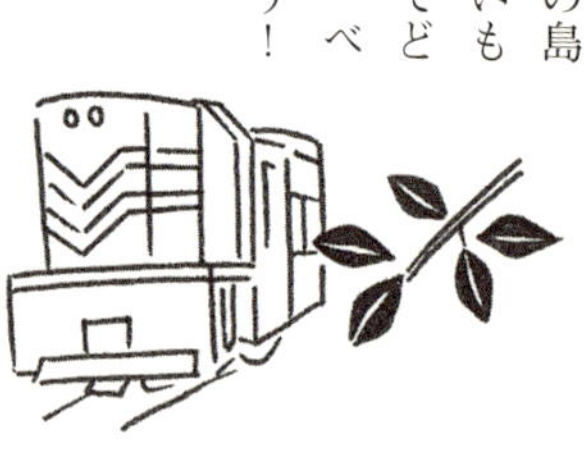

※席の種類はハードシート(木の椅子)、ソフトシート(リクライニング)、ハードベッド(木の3段ベッド)、ソフトベッド(マット付き)、スーパーベッド(エアコン付き)の5つ。

閑散としているサイゴン駅ホーム
チケットは駅で買うか、シンカフェなどでブッキングしてもらうと安い。
一週間前には予約したほうがいいらしく、
私たちは日本で手配してもらいました。
外国人料金があるのでけっこう高い。

てるみたい？　平気平気、とトランクを抱えて車両のドアを開けた途端、目に飛び込んできたのはカントー行きのローカルバスと同じ光景。人の熱気でムンムンして、荷物の置き場もなさそう……。回れ右をして素直にアドバイスを聞くことにしました。

一見悪人顔の乗務員さんは結局すごくいい人だったんだけど、昨晩のレモ○グラス事件のせいで私たちはいつもの10倍疑り深い。寝台は別料金で1人10ドルと言われ、「《……社会主義国の公務員＝悪人が多いに違いない。だまされてるのかも……》ダックヮ（高い）、2人で10ドルにして」

と値切ってみました。そしたら困った顔をしつつ2人で12万ドン（910円）にし

ソフトベッドのコンパートメント内
昼間のこの距離なら快適に過ごせるけど、車中泊するならスーパーベッドがおすすめ。覗きに行ったらエアコンでろう下まで冷え冷え、寝具も清潔！

6人部屋。天井に扇風機付き。

ニャチャンまで2人きり。鳴りっぱなしのけたたましい汽笛をBGMにのどかな田園風景を楽しみました。

窓の鉄格子がジャマ！

ベッドの下が荷物入れ

てくれるもんだから、なぜ安くなる⁉　とますます頭が混乱してしまいました。

後で確かめたら1人10ドルでちゃんと合っていた……。ガーン。それでもその乗務員さんは、公共料金を値切った女に最後までやさしくしてくれました。

1人ひどいボリ野郎に出会うと、いい人たちまで疑うはめになるのが悲しい。気を抜きすぎてもいけないけれど、もっと肩の力を抜かなくちゃ……と反省。

乗務員さんたちはみんなとってもやさしかった。英語は通じないけどトイレはあっちよ、とかちょこちょこ顔を出して世話を焼いてくれて。ただなぜか全員、写真を撮られるのを異常に嫌がるんだよなぁ。

10時頃、早い昼食が配られる

青菜のスープ
青菜とブタ肉いため
魚の煮つけ
ウエハース
オリジナルミネラルウォーター"ドンサット"
これはチケット代に含まれる。なかなかおいしいのだ。

隣のコンパートメントの、お金持ち風四姉妹に招かれておしゃべり。ニャチャンに遊びに行くんだって。あんまり話が通じなかったけど、楽しかった！

四女19才
長女30才
三女27才
アイライン グリグリ
次女28才
ベトナムのおしゃれは少々ケバめ。そして厚底流行中！日本に比べれば7〜8cmのかわいいモノ。
「ニャチャンはマフィア（単に"ワル"のことだと思う）が多いから、荷物に気をつけて！」と何度も言われ、バッグをこのように持つように指導を受ける。

海辺のホテル探し

列車は時間通りの午後3時、ニャチャンに到着。私たちはホームの中まで入ってくる、タクシーやホテルの客引きの勢いに少々ビビり気味。頭の中にはすっかり治安の悪い街のイメージが出来上がっていました。実はホーチミン在住の知人にも、ニャチャンはひったくりが多くて先日も日本人がバイクで引きずられた、と聞かされていたのです。最後にもう1度、マフィアに気をつけて！　と念を押されて四姉妹と別れ、タクシーでホテル〝グランド〟へ。

1930年代にフランス人によって建てられたホテル、なんて期待してたのに……なんだか空気が死んでいる。部屋はたしかにクラシカルだけど、不潔でカビ臭く、だいたいしばらく人が泊まった形跡すらないよ。ここじゃ気が滅入

HAI YEN (ホテル) / 40 Tran Phu

ニャチャンにいた4日間、
"グランド"の鎧戸は閉まったまま…
大丈夫か!?

りそう……と他を当たることにしました。

ガイドブックから選んだのはすぐそばの大型ホテル〝ハイイエン〟。清潔でビーチの目の前、部屋から海が見えるところも気に入り、ツイン40万ドンを36万ドン（2726円）に値切って決定。快適だけど小さなホテルと違って、従業員の人たちがよそよそしいのはちょっとさみしかった。

私たちはメコンデルタの旅の疲れがドッと出て、2人して風邪をひいてしまい、丸1日ホテルでおとなしく過ごすはめになってしまいました。

そして治安は……全然悪くなかった。オフシーズンに入る頃だったからかな？　拍子抜けするほどのんきな街でした。

ニャチャン沖には大小いくつかの島が浮かんでいます。

ニャチャンビーチの一日

私たちが訪れた10月初めは、残念ながら1番美しい季節がちょうど終わった頃（ベストシーズンは3～9月）。昼間はカーッと晴れるけど、朝夕はどうにも曇りがちで不安定な天気でした。

それでも十分海は青くてきれい。5kmにわたって白い砂浜の続くビーチは、何軒か観光客向けのレストランが並ぶものの、変に開発されすぎてないところがよかった。

人も空気ものーんびり。なんにもしないで沖に浮かぶ島を眺めるのが1番似合う、静かで平和なニャチャンの海でした。

早起きして朝焼けを見に行くも、ずっと雲におおわれたまま。
この後1時間ほど、スコールが降りました。

MORNING

学校前にひと泳ぎする子供、散歩する人、体操する人。早朝の海は地元の人たちのもの。海岸の広場では大人も子供もサッカーボールを追いかけて、裸足で走りまわっている。一日で一番活気のある時間です。

海からあがったそのまんま、ぬれた服で、海水パンツいっちょで家に帰ってゆく。

あなた、日焼けしてるからベトナム人かと思ったたって…。
ちょっとプクッとしていて小麦色の肌が魅力的なリンちゃん

最終日の朝1人で散歩していると、波打ち際を三つ編みのかわいい女の子が歩いていました。じーっと見ていたら目が合って、ニコッと笑いかけてくれた。私も思い切って「シン　チャオ」とごあいさつ。

リンちゃんは25才の会社員。生粋《きっすい》のニャチャンっ子で、毎朝海に来て泳いでから仕事に行くんだって。うらやましい……。ホーチミンの大学を出ていて英語が上手、1番きれいな夏の朝日や大好きな島のことをゆっくりゆっくり話してくれる。私もつたない英語で、お互いの仕事の話や家族、ニャチャン、日本の事を砂浜に座り込んで、1時間くらいおしゃべりしました。

賢くてかわいくてしっかりした女の子だったな。仕事のために韓国語を勉強していて、彼氏を作る暇もないって笑ってた。同世代のベトナムの女の子との、忘れられない楽しいひとときでした。

DAY TIME

✤昼間はすごい日差し！欧米人がちらほらパラソルの下にいるくらいで、ビーチはとても静か。

ビーチ沿いのオープンカフェが気持ちいい。

海岸にはサトウキビジュースなどの▶
屋台が並ぶ。これはチェー（氷菓子）屋。

EVENING

✤小さな遊園地も動き出し、朝と同様大にぎわい。お散歩するなら早朝と夕方です。

おばあさんと犬が
ポツンと海を見ていた。

島巡りツアー

〝ミーアツアー〟主催の、アイランド・ボートトリップに参加してみました。沖合の4つの島を巡る、昼食、フルーツ付きの8時間のツアーで、1人7ドル。この日の参加者は12人でした。

　他のツアーオフィスも内容、値段は一緒。〝ママハンツアー〟は40人ぐらいがぎゅうぎゅうに船に乗り込んで、ずっと大音量でロックを流していました。コースが一緒だから必ず後からやって来て、うるさくなるのが嫌だった。

　船で1時間ほどの最初のムン島では、沖に停泊してシュノーケリング。無料で借りられるゴーグルと空気パイプを着けて、ニャチャンビーチよりずっと澄んだ海の中へ。顔だけ水につけてじっとしていると、鮮《あざ》やかな色の魚の群れ

こんなカラフルな船に乗って島をまわる。

港にいた、なんとも後ろ姿のかわいい帽子売りの少年

MY A TOUR (ツアーオフィス) / 10 Hung Vuong

がすぐそばを通りすぎます。この初めての体験には感動！

しかし島巡りとはいっても2島目は島を眺めながら船の上でごはんを食べただけ、3島目はゴミだらけのうら寂しいタム島に2時間上陸。4島目も上陸せず……。

ちゃんと島を満喫したいなら、自力でボートをチャーターしたほうがいいかも。ビーチでおしゃべりしたTシャツ売りのホイくんが言うには、好きな島を巡る1日コースで2人で35ドルくらいだって。だいぶ高くついてしまうけど、ツアーでは行かないようなきれいな島に行けるらしい。

リンちゃんは、ビーチからもよく見える1番大きな無人島、チェー島がお気に入りだって言っていました。建物や家具が全部竹でできていて、そりゃあロマンチックなのだそう。ここだけなら2人で10ドル程度で行けるみたい。

次にニャチャンに来た時は絶対自力で島に行って、ゆったり静かに過ごしたいな。

4つ目の島でザル・ボートに
乗りました。島の沖を少し
まわって5000d（38円）。揺れる！

シクロに乗れば

自転車の前に座席を取りつけた人力タクシー、シクロ。料金は交渉で決まるので、とにかくボラれるだの悪徳運転手が多いだのと評判で、面倒なのであまり利用はしませんでした。しかしホーチミンやハノイでは5メートルごとに「乗れ、乗れ」としつこく声をかけられ、無視のできない存在なのです。

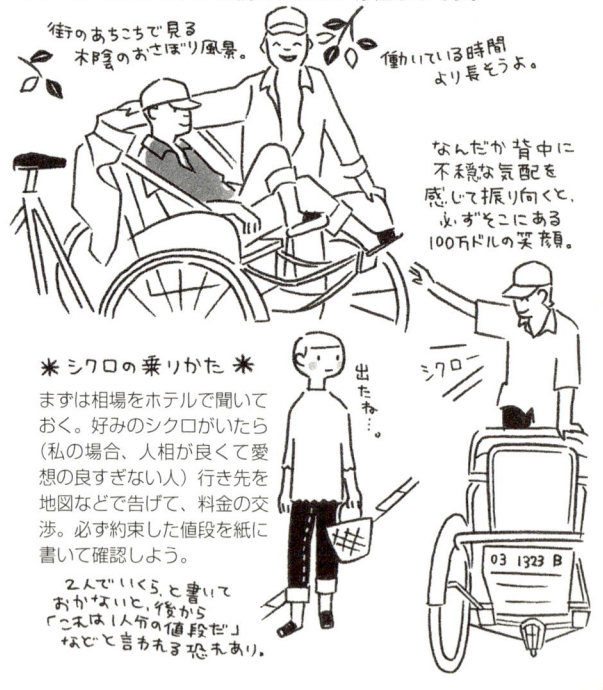

街のあちこちで見る
木陰のおさぼり風景。
働いている時間
より長そうよ。
なんだか背中に
不穏な気配を
感じて振り向くと、
必ずそこにある
100万ドルの笑顔。

シクロー
出たね…。
03 1323 B

✳シクロの乗りかた✳

まずは相場をホテルで聞いておく。好みのシクロがいたら（私の場合、人相が良くて愛想の良すぎない人）行き先を地図などで告げて、料金の交渉。必ず約束した値段を紙に書いて確認しよう。

2人でいくら、と書いておかないと、後から「これは1人分の値段だ」などと言われる恐れあり。

各都市で１、２回ずつ利用。北と南でデザインが変わるのがおもしろい。料金はどこも近距離で5000ドン（38円）程度。ハノイで１回だけボラれそうになりました（⇨P122）。

ハノイ

ゆったり2人掛けのイスがうれしい。
若くてさっぱりしたシクロマンも多い!

カントー

他の街では見なかったバイクシクロ。かなり気持ちいい！

ホーチミン

ホーチミンで見た犬を乗せて走るシクロ。おじさんの犬なのかな？
慣れたカンジ
イスが狭い!!人が奥でガバッと股を開くか、おしりをはみ出して、無理矢理並ぶ。

２年前よりシクロマンのガッツがなくなったような気がしました。ＮＯと言ってもスッポンのようについて来る人がいない。ホーチミンなどには乗り入れ禁止区域もあって、シクロの数はどんどん減っているようです。どんなにうるさくてもしつこくても、ベトナムの風景にはやっぱりいつまでもシクロがいてほしい。

市場では、ダサくてかおいい
海のみやげものを期待して
いたのに… ほとんどなかった。
この貝ガラウサギぐらい。
5000d (38円)

ダム市場

ニャチャンの街の北側にあるダム市場は、円形の建物がモダンで珍しい市場です。

まだ昼前だというのに場内は閑散としていて、中央部にあるはずのみやげ物屋コーナーも閉まっていました。市場全体が昼寝しているようなけだるい空気が流れて、いかにも田舎の海辺っぽい雰囲気。

ニャチャンってもっとバリバリのリゾート地かと思ったら、街も人もすごく素朴でやさしくて、地方ムードが色濃く漂っていました。そのいいあんばいのやぼったさが何ともホッと落ち着けて、いいんだよなぁ。

✤食堂エリアで葉っぱにくるまれた食べ物を「これ何?」って質問したら、まわりの人たちも集まってきて、ワイワイおしゃべりが始まった。

私のノートを興味津々にめくる。おばさんがカタカナを真似して書いて大喜び、大笑いしていてかわいかった。

＊ネムチュア＊

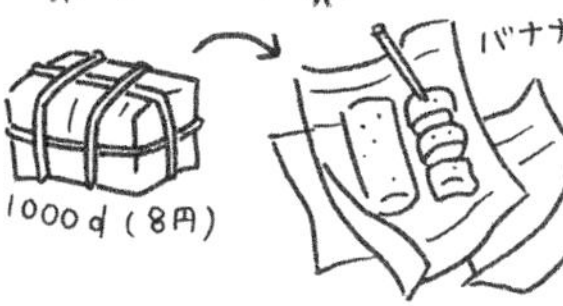

1000đ（8円）

バナナの葉にきれいにくるまれた、豚肉を発酵させたソーセージ。ビールのつまみに人気らしい。私は苦手…。

✤1階中央は池のある、薄暗くていい感じのカフェになっている。ウォン・カーウァイの映画に出てきそう。

おやじ4人が昼間っから将棋に熱中。

ニャチャンで食べる

ニンホア
NINH HOA

ニャチャン名物ネムヌォンが食べられる店。でかいライスペーパーに細長い肉だんごと青菜をたっぷり巻いて食べる。うまー。地元で人気の店らしく、家族連れで混み合っていました。

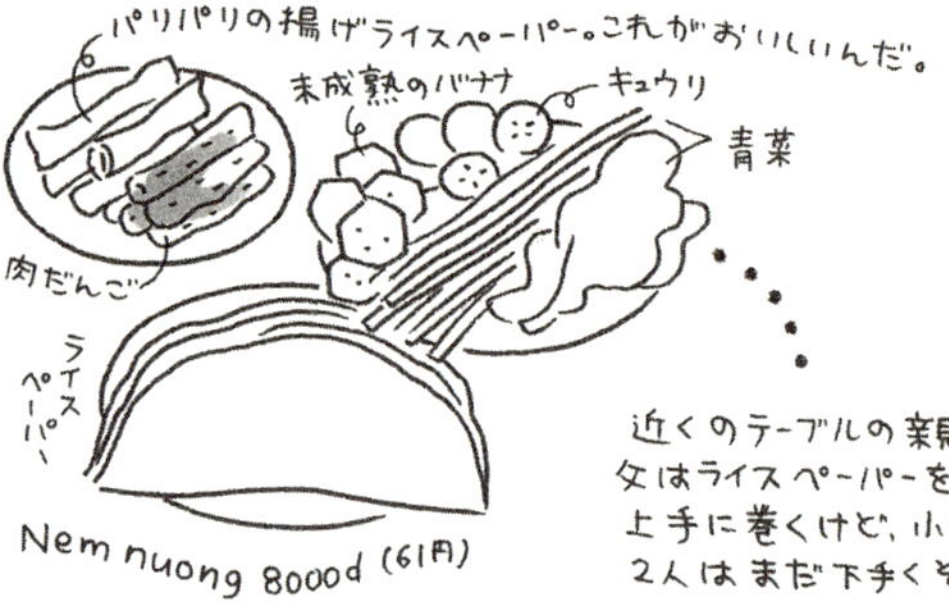
パリパリの揚げライスペーパー。これがおいしいんだ。
未成熟のバナナ
キュウリ
青菜
肉だんご
ライスペーパー
Nem nuong 8000d (61円)

近くのテーブルの親子3人、
父はライスペーパーをくるくるっと
上手に巻くけど、小学生の息子
2人はまだ下手くそ。
父は熟練の技できれいに
折りたたむ。息子たち
はただ巻くだけ。
それでも私のよりはキレイ。

もう1品食べたのがブン・ティットヌォン。揚げライスペーパーと甘辛い豚肉、香菜、キュウリなどいろいろのったブン（米粉のブヨブヨした麺）料理。全部一緒に食べるとおいしい！

Bun thit nuong 6000d (45円)
甘酸っぱいたれ"ヌクチャム"をかける。

NINH HOA（食堂）/ 16 Lan Ong

コムビンザン通り

海沿いのチャンフー通りと平行に走るTran Hung Dao通りにはコムビンザンがいくつもあります。

＊ある日の昼食＊
冷たいお茶
冬瓜のスープ
魚の煮つけ、豚肉の甘辛焼き(すんごくおいしい!)、卵焼き、野菜をのせて1万d(78円)。

子供たちは店をよーく手伝う。
てきぱきと皿を運んだり、
学校で英語を勉強しているので
私たちのような外国人の相手に、
と大活躍。
◀客がひいた後、
使ってひもを編みはじめた
ナプキンさしを
中学生の女の子。

夕方になるとNguyen Chanh通りには、ズラッと屋台が並んで大賑《にぎ》わい。Tシャツ売りのホイくんが、ダム市場の前にも夕方からバインセオ（ベトナム風お好み焼き）などの屋台がたくさん出るって言っていました。

市場のおばちゃんが

ニャチャンー

とほめたたえていた、
ベトナム焼き肉の店"ラックカイン"には
行けなかった。本当においしいらしいので次回は絶対行くぞ!

LAC CANH（焼き肉）/ 11 Hang Ca

海辺のサイクリング

最終日にはホテルで自転車を借りて、街をまわりました。海沿いは特に起伏が少なく、交通量も激しくないので超おすすめ！　日曜日のさらに気の抜けた街を走って、身も心もすっかりなごみ切り、私はますますニャチャンが大好きになりました。

自転車の貸出業務をしているのは、ホテル前でたむろしているシクロマンたち。いきなり5時間で5万ドン（３８０円）だなんてふっかけてくる。ホテルの客なのに。ガイドブックを見て知っていたから、相場は1日1ドルくらいでしょ！　と言ったら１万５０００ドン（１１４円。これでもちょっと高いと思う）になりました。シクロも初めは相場の3倍の値段を言われたし、ここらへんはやっぱり観光地なんだな。言えばわりとすぐに下げてくれるけどさ……。

そして交渉が成立しても安心してはいけない。シクロマンが持ってきたボロボロの自転車は、走り出してみると2台とも後輪の空気が抜けていました。あわてて戻って路上の空気入れ屋さんに連れて行ってもらい、これで安心してようやく出発です。

＊ニャチャン川中州のカフェ＊　4月2日通りを北上。ソムボン橋手前の左側に細い橋のある路地。橋を渡ると中州へ。

✤ まずは街の北側にある、9世紀に建てられたチャンパ寺院の遺跡、ポー・ナガール塔へ。

手拭いでノドを守る

塔の方面は海沿いと違って交通量が激しくて、排気ガスですぐにノドをやられてしまいました。

このベトナム女性のスタイル▶
の正しさを思い知った日。
快晴だったので、どんなに
日焼け止めを塗っても
ジリジリと腕が、手の
甲が焼けてゆくのが
わかる。

◀ひったくり防止に、ショルダーのひもは短く。

三角巾マスク&ロング手袋

✤ ポー・ナガール塔手前のニャチャン川の中州には、やさしいおじさんのいる＊カフェがあります。気持ちがよくておススメ！

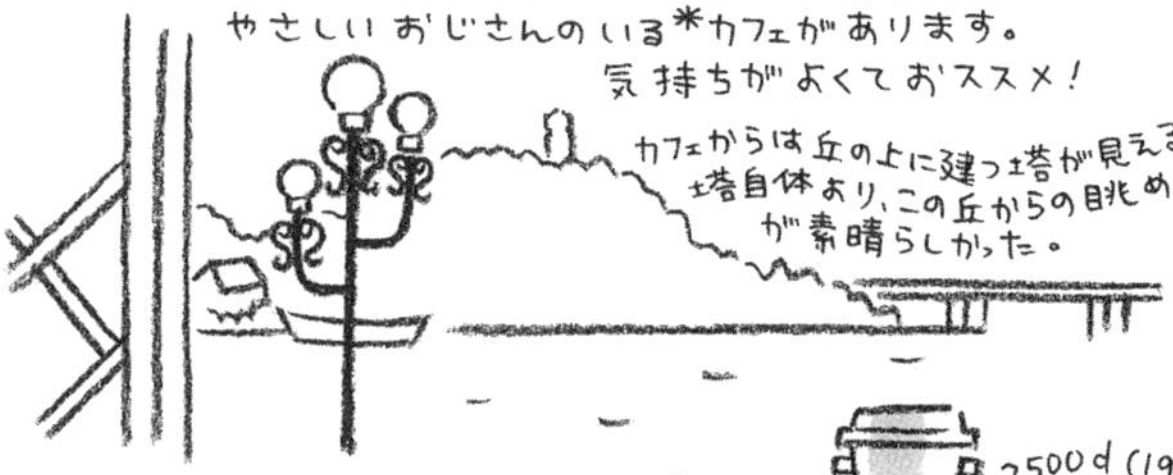
カフェからは丘の上に建つ塔が見える。
塔自体より、この丘からの眺めが素晴らしかった。

アルミのフィルターからしずくが落ちるのをゆっくり待って、ベトナムコーヒーを飲みました。

市場で見慣れたコップ類も、実際に使われているのを見るとすごくカワイイ。ホーチミンでこの一式、買っちゃった。

2500d (19円)
シュガー
冷たいお茶がつく

街の中心からバオダイズ・ヴィラへは約6km。海沿いの広々とした道が続きます。車もバイクも少なくてゆったりと走れる。

ヴィラにいた水兵さんの集団
海軍の船が港に入ったらしく、
この日の街には水兵さんが
たくさんいました。
なんてカワイイ後ろ姿！

街の南にあるバオダイズ・ヴィラは、1923年に建てられたバオダイ帝の別荘。今はホテルになっています。本当はここに泊まりたかったのだけど、中心部から離れているのであきらめたのでした。
広い敷地は公園になっていて、カップルの姿もチラホラ。若者に人気のデートスポットのよう。
街を一望できる高い丘、緑の散歩道、きれいなプライベートビーチ、ヤシの木陰のカフェ。静かなニャチャンでのんびりするにはぴったりのホテル！　多少遠くてもやっぱり泊まればよかったな。

BAO DAI'S VILLAS（ホテル、公園）
/ Cau da – Vinh Nguyen ツインで25ドル〜

COLUMN 5

ベトナム・おやつ天国 ✳

道端の屋台や市場、街のいたるところでおやつ屋さんは店をかまえています。女子高生にシクロのおじさん、みんな甘いものが大好きみたい。私のお気に入りのおやつをご紹介します。

❶ ヤァオア Yaourt

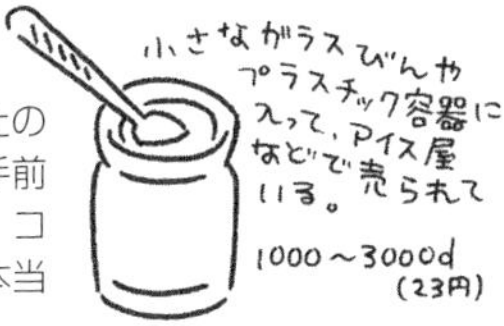

小さなガラスびんやプラスチック容器に入って、アイス屋などで売られている。
1000～3000d
(23円)

ベトナムで1番うまい！　と思ったのがヨーグルト。ブドウの腐る1歩手前のような（？）酸味がクセになる。コクがあるのにさっぱりしていて、本当においしいのだ。

❷ バインフラン Banh flan

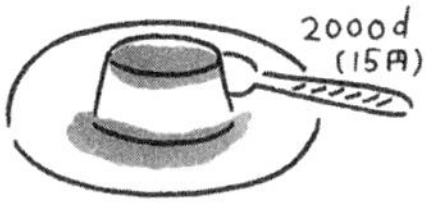

2000d
(15円)

ミルク風味たっぷりのカスタードプリン。上品な甘さの懐かしい味。

❸ ボンラン

カントーからホーチミンに帰る途中のフェリーで売っていたカステラパン。ふわふわでほどよい甘さ、「ぐりとぐら」のカステラってこんな感じ？　調子に乗ってフェリーを降りた後違うおばさんから買ったら、段ボールみたいな味がしてまずかった……。当たり外れ、ありすぎ。

私があんまりうまそうにフガフガ食べていたから、まわりの欧米人もつられて皆買っていた。
2000d
(15円)

❹ バインバオ Banh bao

ズバリ肉まん。中にうずらの卵が入っているのがうれしい。

3000d (23円)
ハノイのは卵が2個入り♡
屋台もよく見かけます。

⑤ チェー Che

市場の中にも必ず店がある、おやつ界のスター。ベトナム風みつ豆とでもいうのか？　ズラッと並ぶ具の中から好みの物を選んでシロップをかけ、氷をのせて出来上がり。目にも美しいおやつです。

かき混ぜて食べる。
2000(15円)~4000d(30円)
きみどり色やドピンクの得体の知れないものより、寒天、豆などシンプルな具を選んだほうがおいしい。

▼チェーの屋台
ジュースの材料

⑦ ワッフル

まわりはサックリ、中はふんわりの路上ワッフル屋さん。焼きたてで最高。

⑥ カフェスアダー ca phe sua da

アルミのフィルターで入れる濃厚なコーヒーと、練乳をミックス。とたんにまろやかでおいしくなる。

ドリップが終わったら氷の入ったグラスに移す

担いできた天秤を路上に下ろして即席開店！
炭をおこして焼く
ビニールの中にワッフル
たな

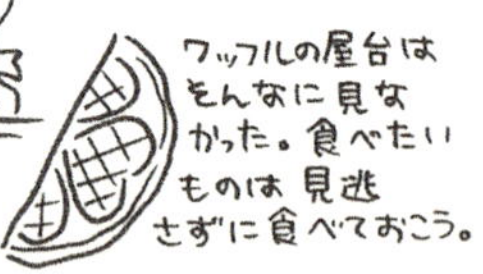
ワッフルの屋台はそんなに見なかった。食べたいものは見逃さずに食べておこう。

買い付けの旅

HA NOI

前回の部屋は、ラベンダー色の
カーテンがかかった飾り窓があって
かわいかった。今年の部屋は
変な時計や扇風機がついていて
微妙にダメな感じ。

ホテル〝ゴールドドラゴン〟

のんびり遊びの旅ももう終わり。ベトナムの首都ハノイで、いよいよ買い付けの旅が始まります。

ハノイ・ノイバイ空港から中心部までは、車で40分とけっこうな距離。市街まで一律10ドル（2年前は倍の20ドルだった！）のエアポートタクシーのチケットを買って、とりあえず2年前に滞在した旧市街のミニホテル、〝ゴールドドラゴン〟へ。

前回エアポートタクシーに無理矢理連れて行かれたところで、高かったけど（3人で45ドル）かなり快適で内装も素敵だった

GOLD DRAGON（ホテル）／95B Hang Ga

旧市街についてビックリしたのが
バイクの数の急増ぶり。
自転車の街ってイメージだったのに。
怖くてなかなか渡れない
通りもありました。
シ・ン・ケ・ン
前回、通りわきの用水路で
用を足す子供たちにド肝を
抜かれたものですが、
そういえば今回は
見なかったなあ…。

ので、ひろみちゃんは大のお気に入り。

私は最初の強引な客引きと、愛想は良くてもどうも腹黒そうなオーナー夫妻に猜疑《さいぎ》心を持っていました。場所が旧市街のど真ん中で便利だし、安くしてくれたら考えようか、ということで行ってみました。

やり手そうだったマネージャーがいなくなっていて、私たちと同世代の男性スタッフが3人。みんなすごくフレンドリーで、おかげでだいぶ雰囲気が良くなっている。

2年前にも泊まったことを話したら、ツイン30ドルを24ドル（2544円）にしてくれました。ハノイの宿はここに決定。

＊朝食はパンと紅茶だけ、とかなりショボイ。

墓石屋通りの店の前で
仕事をする職人さん。
超リアルな肖像を
彫る。すごい細かさ。

旧市街・ハノイ36通り

ハノイは11世紀に李朝《り》の首都タンロンが置かれ、政治、経済の中心として栄えた、千年の歴史を持つ都です。

特にホアンキエム湖北側の旧市街は、その時代に職人や商人を集めて作られた古い古ーい街。別名36通りと呼ばれ、36の通りごとに同業の店が軒《のき》を連ねていたそう。

戦火を逃れた旧市街の街並みは今も変わらず、同じ職種の店が賑《にぎ》やかに並んでいます。タオル屋通り、おもちゃ屋通り、漢方屋通り、金物屋通り、古い下町の商店街が縦横無尽《じゅうおうむじん》につながっているようで楽しい。

手芸品屋の色とりどりのリボン

おもちゃ屋の看板

包装紙屋さん

食器屋通りで買い付け

道が相当入り組んでいて
なかなか覚えられない！
気になる店は通り名をチェック
しておこう。2年前に見つけた
サボのある靴屋にはとうとう
たどり着けなかった…。

店のおじさんも白いサボを
はいていてかわいかったんだ。

お菓子屋通り

祝い事のお飾り屋

フランス統治時代の建物も多く残る。これは給水塔。

角をまがれば

広いハノイでの5日間、私たちはほぼ旧市街のみで過ごしました。街の端から端までが1㎞程度のこの小さなエリアには、様々な店が密集していて買い付けに最適。そして何より2回の旅を通して、1番好きな街でもあるのです。低い古い街並みはどこをとっても絵になり、活気が溢《あふ》れているけどのんびりしている。まさに地元の人たちの生活の場であって、よそ者をすんなり受け入れてくれる暖かさもあります。人の優しさがどこよりも近くに感じられる街。

家族経営の小さな店ばかりで、みんなとっても仲がいい。子供たちは店を手伝い、ばあちゃんも赤ん坊も中学生のお兄ちゃんもみんな一緒。旧市街を歩いていると、家族っていいなぁ、なんてしみじみ思う光景にたくさん出合います。

街路樹におおわれた
表通り。昼間の暑さも
これで少しはやわらぐ。

路地をまがれば人々の
暮らしが見える。

昼下がり、店の前でくつろぐ
コム屋の家族。

ハノイの人は
鳥好きらしく
店先の木に、
民家の軒先に、
いくつも鳥籠がぶら下がる。

ベトナムっぽい、絵になる風景！

お供え用の線香と花

旧市街の花売り

花のある風景

旧市街では、他の街より花を目にすることが多い気がします。

自転車の荷台にバラをのせた花売り、路上でお供え用の菊を売る店、花の盛《さか》りの大きな木が植わった家々……。

くすんだ古い街の色合いに、赤やピンクの花がパッと映《は》えてとても素敵です。

切り花の種類はバラと菊ぐらい。仏花の印象が強かった菊が、かわいく新鮮に目に映りました。

仏教＋土着的な信仰が
多いというベトナムでは、
木は神聖なシンボルみたい。

▲巨大な木の幹に神棚。
赤いバラが供えられていた。

花が供えられた木は
よく見かけます。

花が主役の家

なんともいい色合い

ツタみたいに壁をはう

チェーの具に白い花を
あしらって。かわいいけど
かえってマズそうに見えるよ。

ハンザ市場近くのチェー屋さん

路上の商売人たち

旧市街には実にさまざまな種類の路上の商売が出没します。

ノン（すげ笠）をかぶり天秤《てんびん》を担いだおなじみのスタイルで、雑貨や野菜を売り歩く人、しつこい絵はがき売りの少年。塀に鏡をかけた即席の散髪屋さんは、そんなに需要があるの？　ってほどよく見かけます。

仕事道具を並べて腰を下ろせばそこはもう立派なお店。売り手と商品だけ、のもっともシンプルな商売。つねづねトランク1つで暮らしてみたい、と言っているひろみちゃんは、ちょっとうらやましそうでした。

＊羽ばたき売り＊

1人から買っていると わらわら寄ってくる。でもしつこくない。('97)

＊パイナップル売り＊

ザル1つのミニマムなスタイル

＊マニキュア塗り＊

フタ付きのカゴ1つで街を流す。その様子がなんともかわいい。

＊靴みがき少年＊

おかもちみたいな道具入れ

＊耳そうじ屋＊

頭に懐中電灯をつけて、口を半開きにして仕事にいそしむおじさん。

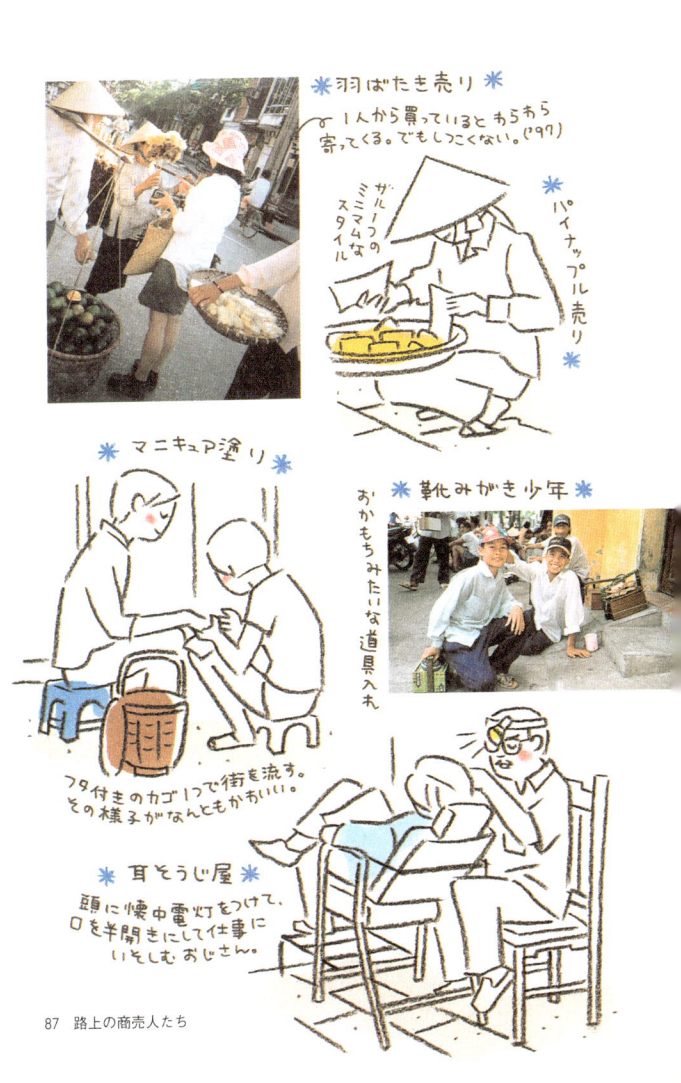

路上の商売といえば屋台。
朝から晩まで旧市街は
まさに屋台天国です。

チェー屋さん

毎日ターヒエン通りにいる。
人のよさそ〜うなおじさんの
チェーは、具が
2種類だけ、
と超シンプル。

チェーを作っている間、段ボールを
渡されてハエ追い係をまかされる。

左のだんごの名前を教えてくれた
おじさん。食べ終わった途端、「シクロ
乗んない?」って。おやつタイム
だったんだね。

チェーよりおすすめ、バインチョーイ

もちもちの白玉に
黒糖のカケラ
が入っている。
おいしい♡

Banh troi 2000d
(15円)

ごはん屋さん

裸電球に照らされた夜の屋台は、
お祭りの出店みたいで心躍る。

Bun nganという名
のブン(麺)料理。
塩ラーメンを薄く
したような少し酸っぱい
スープに鳥肉、青菜が
どっさり。6000d(45円)

食欲のない(ひ)は他の▶
屋台でパンを買って食べていた。
屋台に限らず持ち込みは全然OK!

別珍のカチューシャ
ハノイばあさんの基本型
翡《ひ》翠《すい》のネックレスをしているババはとても多い。
"アオババ"薄手のシャツ。白やピンクが多い。
"クアン"黒のストンとしたテロテロパンツ
ビニールのつっかけサンダル

おばあさんバンザイ

2年前、私はハノイのおばあさんに夢中でした。その堂々たる存在感、姿勢良くシャキシャキ歩く姿。そして何といってもとってもおしゃれ。ハノイほどカッコイイおばあさんの多い街はありません。

家族経営の店ばかりだから目立つのかな。バリバリに現役で、店の前の1番いいポジションに椅子を置いて、悠悠と通りを眺めている。

今回もやっぱり、おばあさんにばかりカメラを向ける私がいるのでした。

べっこうの'50Sメガネがイカスおばあさん。「撮らせてね」と手振りで頼むと、照れながらお歯黒の歯をむき出して、ニカーッと笑った。

美人ばあさんNO.1

ハンザ市場にて。おばあちゃんに「デップ（きれい）」と言うとじーちゃんが「そうだろそうだろ」といった風にニコニコうなずいていた。

ドンスアン市場近くの、おばあさんのアオババ屋

別珍の三ッ角スカーフを頭に巻いている人も多い。

手芸品屋のおばあさん

髪の毛の束をカチューシャみたいに頭の上で結っている。

おばあちゃんのおしゃれファッションに一役買っているのが、大好きな〝アオババ〟。

　ふちのスカラップがなんとも可《か》憐《れん》で愛らしいこのシャツを、私は一目で気に入ってしまいました。

　すぐにホテルの人にイラストを描いて、名前と買える場所を聞き出しました。手に入れた時はうれしくてうれしくて、クアンもはいてファッションショー。はしゃいで写真を撮ったっけ。

　上下合わせて着ると、今見れば〝ばあさんの服〟というのがわかっているからちょっと滑稽《こっけい》……。

白を着ている人が多いけど、
色・柄は豊富。
ナス売りのおばあさん、ナス色の
アオババは偶然のコーディネート？
ベトナムのナスは丸い
白は胸に刺しゅうが入っている。
大きいのを着ると板さんに見える危険あり。
◀ '97年、"ゴールドドラゴン"の階段にて…。

ドンスアン市場

アオババはドンスアン市場で買えるよ、とホテルで教えてもらい、2年前に買い付け合戦を繰り広げた思い出の市場です。

旧市街の北に建つ近代的な建物の中は、檻《おり》のようなたくさんのブースが入っている変わった造り。'94年に火災があって新しく建て直したのだそう。

ここは市場自体というより、店の人々が人なつっこくて好き。2、3階の衣料品街は特にみんな仲良しで、値切り交渉をしているとまわりの店の人たちがすぐにワイワイ集まってきて、いちいち盛り上がるのです。

市場でクアンを試着したらバカウケ
された。若者が着るとおかしい
のかな。ちょっとコム・デ・ギャルソンっ
ぽい…と思ったりしたがおしゃれに
はきこなせず、部屋着として活躍中。

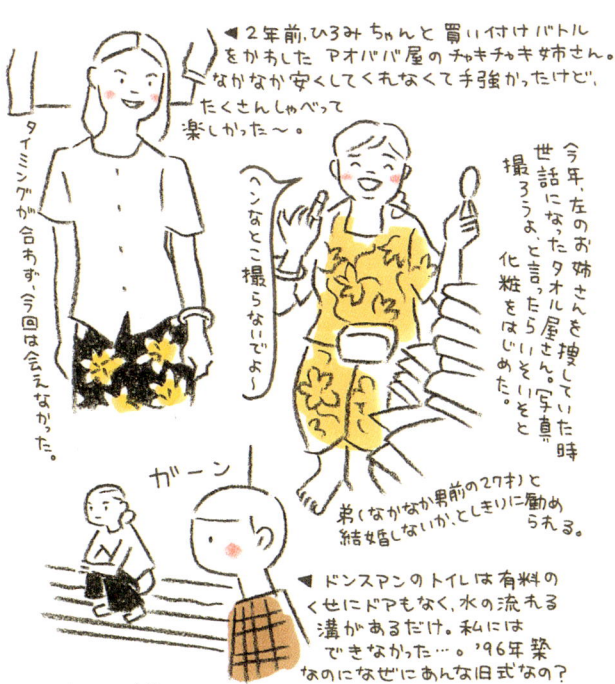

ゴチャゴチャと商品が積まれている。

◀2年前、ひろみちゃんと買い付けバトルをかわしたアオババ屋のチャキチャキ姉さん。なかなか安くしてくれなくて手強かったけど、たくさんしゃべって楽しかった〜。

タイミングが合わず、今回は会えなかった。

ヘンなとこ撮らないでよ〜

今年、左のお姉さんを捜していた時世話になったタオル屋さん。写真撮ろうよ、と言ったらいそいそと化粧をはじめた。

弟(なかなか男前の27才)と結婚しないか、としきりに勧められる。

ガーン

◀ドンスアンのトイレは有料のくせにドアもなく、水の流れる溝があるだけ。私にはできなかった…。'96年築なのになぜにあんな旧式なの?

ヌックマムなどを入れる小皿

芸術的なディスプレイ

旧市街でお買い物

チープでかわいい雑貨の宝庫・旧市街を歩きまわって、こんなものを買い付けてきました。（P98に地図があります）

食器

map Ⓐ

高架下の細い道に、台所用品の問屋が並んだ大好きな通り。コップやプラスチック、アルミ製品など、普段使いの食器を扱う。

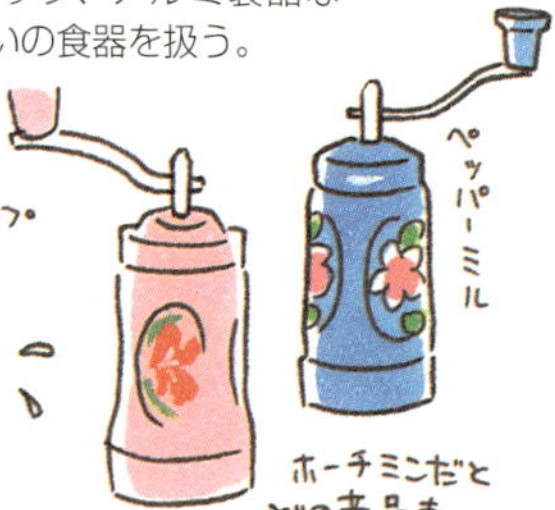

ホーチミンだと3万dくらい。どの商品もホーチミンより少し安い。

＊スプーンなど、バラ売りしてくれないものもある。

◀食器の買い付けは死にそうに重い。ダラダラ大汗かいてホテルを往復します。

"おばあさん店主"は手強い

赤ちゃん帽とひろみの愛犬シトロン

ベビー服 map Ⓑ

高架を挟んで食器屋通りの裏側は、子供服の露店通り。市場にぶら下がるド派手なベビー服と違って、素朴な手作り風のものが多い。

サーマルシャツみたいな
柄のパジャマがいっぱい。
衿だけ布が違ったりと
かわいい〜。

リス柄

前かけの種類も豊富。
必要ないのに私も欲しくなる！
ガーゼ
ビニール
金レースが素敵

実家のももちゃん
帽子があまりにも
かわいくて、2人して
愛犬用にもとめる。
もちろん犬たちには不評。
2500d

おかし map Ⓒ

そそられるお菓子は少ないけど、おもちゃみたいなカワイイものもあります。

ラムネ入り

タケコプター付きキャンディー

モードな人形"スージー"　なんともきれいな色合いのアオババ

アオババ　map D　洋服

今回アオババはドンスアン市場裏手の通りで買い付けました。

◀お客さん。
アオババの重ね着がオ・シャ・レ。

前回はドンスアン市場で
色、柄いろいろ買いまくり。
何にでも合わせやすい水玉

オーダーメイド　map E

仕立屋が並ぶルオンバンカン通りで、別珍のキルティングジャケットをオーダーメイド。6着を3日で作ってくれました。

裏地も選べる。手作業でキルティングして、日本じゃ考えられないくらい安い。

実直そーうな職人親子三代の
仕立て屋"DONG TRACH"。
小さな店の入口でミシンを踏むおじいさん

DONG TRACH（仕立て屋）
/20 Luong Van Can

'99年ハワイアンモデル

'97年モデルのおっぱい人形

人形の山

お人形

map Ⓕ

ハンルオック通りはおもちゃ＆みやげ物通り。素朴なおみやげ用の木の人形は、他の街では見かけない。

おみやげ人形
なんだか訳わかんないけど、大好きだった"おっぱい人形"。今年はつまらないハワイアンモデルしか見つからず…。
しかし新たにカワイイものも登場！
フランスくん
ドイツくん
うさぎちゃん。ねずみもいる。
こけし好き（私）にはたまらないアオザイ娘。'97年モデル。
1万d
おもちゃ
期待するほどかわいいおもちゃは多くはないけれど、探せばありますよー。
まったくかわいくないところがかわいいミッキー
昭和30年代風のくま
吠えるだけじゃなく、目が不気味に赤く光るプードル。

カゴ map Ⓗ

ドンスアン市場向かいのカゴ屋で買ったのは、マニキュア塗り屋さんのふた付きカゴ。

市場などで使われる丈夫なカゴ。
6つくらいサイズがある。
1万5000d

map Ⓖ ノート

ハンカン通り近辺は文具屋街。ノートをたくさん買いました。

布張りノート

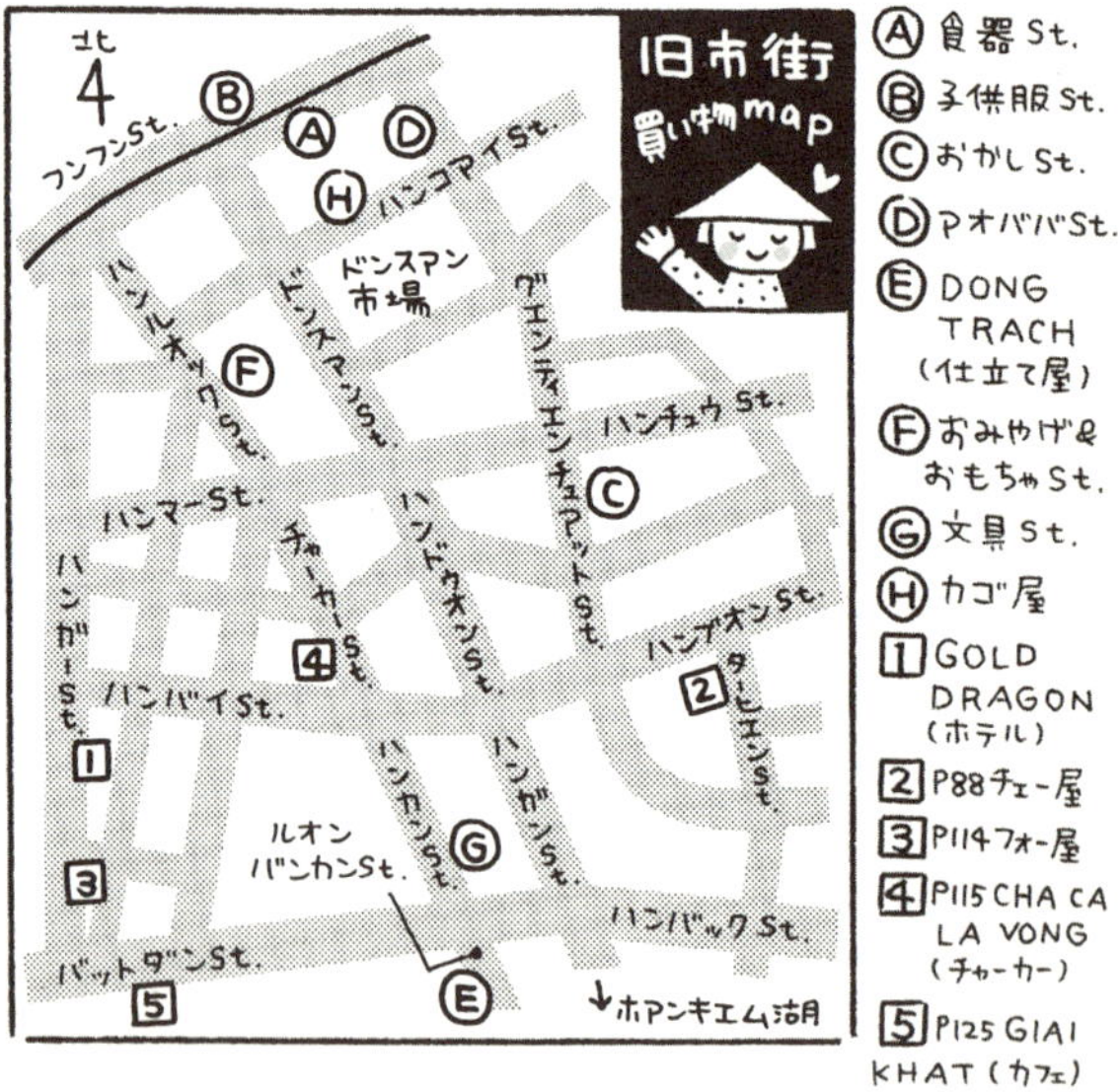
旧市街
買い物map
北
フンフンSt.
ハンコアイSt.
ドンスアン市場
ハンルオックSt.
ドンスアンSt.
グエンティエンチュアットSt.
ハンチュウSt.
ハンマーSt.
チャーカーSt.
ハンドゥオンSt.
ハンブオンSt.
ターヒエンSt.
ハンガーSt.
ハンバイSt.
ハンカンSt.
ハンガンSt.
ルオン
バンカンSt.
ハンバックSt.
バットダンSt.
↓ホアンキエム湖
Ⓐ 食器St.
Ⓑ 子供服St.
Ⓒ おかしSt.
Ⓓ アオババSt.
Ⓔ DONG TRACH (仕立て屋)
Ⓕ おみやげ&おもちゃSt.
Ⓖ 文具St.
Ⓗ カゴ屋
1 GOLD DRAGON (ホテル)
2 P88チェー屋
3 P114フォー屋
4 P115 CHA CA LA VONG (チャーカー)
5 P125 GIAI KHAT (カフェ)

ベトナム人ってスキンシップ
が多い。日本じゃそんな
事ない ひろみちゃんも
つられて多くなる。
これも大事なことかも。
まあ、女同士に
限る話だけど…。

楽しく値切ろう

ひろみちゃんは値切りの達人です。日本で一緒に蚤《のみ》の市などに行っても感じるのだけど、天性のものがあると思う。とにかく感じ良く気持ち良く、いい雰囲気を作るのがうまいのです。ひろみ・値切りのテクニックとは……

〈ポイント1〉基本は笑顔。

〈ポイント2〉できるだけベトナムの言葉を使う。

あいさつや、ちょっとした単語だけでも場がゆるむ。ヘタな発音に笑ってくれて、「いくつ？」「結婚してるの？」とベトナム人の大好きな質問を投げかけてくれます。買い付けをしていると1つの店に長居することが多くて、こういうやりとりが楽しいのです。

〈ポイント3〉「他の店では○ドンだった」と言う。

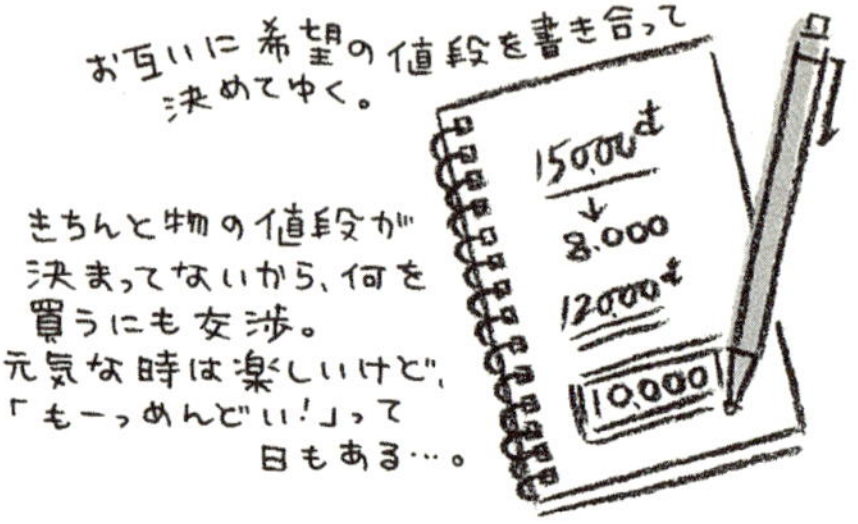
お互いに希望の値段を書き合って
決めてゆく。
15,000
8,000
12,000
10,000
きちんと物の値段が
決まってないから、何を
買うにも交渉。
元気な時は楽しいけど、
「もーっめんどい！」って
日もある…。

これでたいてい安くなりました。〇ドンは実際より少し安めに設定。法外に値切るのは失礼だから、相場をある程度知っておく（ホテルで聞いたり、何軒か値段を比べて）。

〈ポイント4〉和《なご》やかに値切る。

中には取り付く島もない無愛想な人もいる。そういう場合はさっさと見切りをつけるとして、楽しい雰囲気の中で値切る。「お願いしまーす！（日本語）」とガバッとおばちゃんにひれ伏したり、「ダックワッ！　ダックワッ！（高い！高い！）」とふざけて合唱したり……。キャッキャッと子供みたいに笑う人が多いのでこっちまで楽しくなってしまう。

〈ポイント5〉引き時を見極《きわ》める。

あんまりしつこく値切って険悪になってもいけないので。頑《かたく》なにまけてくれない人も、「じゃあいいです」と帰ろうとするとまけてくれる場合があります。そのまま「買ってくれなくて結構！」って事も何度もあったけどね……。

今度は逆に、良くない値切りの例をひとつ。ホアンキエム湖沿いのみやげ屋通りで、バッグパッカー風日本人男子の値切りを目撃しました。

男「(店に入ってくるなりエラそうに、チャイナシャツを指さして) いくら？」店の女の子「12ドル」男「高い!! 安くして！」「……じゃあ10ドル」男「6ドルにしてよ。あなたは美しい！ なんてかわいいんだ！」「(嫌《いや》ーな顔をして) NO……！」

強引で礼儀知らずで、見ていてすごく不愉快になる値切り方だった。まわりの空気が読めない人なのかな。そばで値段の交渉中だった私たちも、「全部半額にはなるんだから、ガンガン値切ったほうがイイッスよ！」と言われてしまった。

店先でお互いの旅の話になって、ハノイまでどうやって来たのか聞かれました。嫌な予感がしながらも飛行機、と答えると、すんごいうれしそうに「うわっっ金持ち！」……もう、こういう貧乏自慢のバッグパッカー青年って嫌だなぁ……。

夜に同じ店に行くと問題のシャツがなくなっていました。「あの男の子が買っていったの？」と店の女の子に聞いてみたら、「えっ友達なの？」私「ノー！ 私、あんまり好きじゃない」「(ウンウンとうなずいて) 彼は結局1時間もねばったのよ！」私「いくらで買ったの？」「6ドルよー！」 すげーなぁ。

COLUMN 6

日本人観光客がゆく

初めて訪れた'97年は、ベトナムブームが盛り上がってきている真っ只中。'99年はもう人気も完全に定着して、ホーチミンを歩いているとやっぱり確実に日本人観光客は増えているようでした（他の街はそうでもない。旅行会社によるとホーチミン以外の行き先にはバラつきがあるみたい）。

女の子の２、３人組が中心。カジュアルな貧乏旅行派と、代官山《だいかんやま》にでも行けそうな格好の買い物旅行派に大きく分かれる。

＊おしゃれ日本人NO.1＊
行きの飛行機が一緒だった40代くらいの女性。スタイリストか買い付け……か？
レースのチャイナシャツ
アンティークカゴ
ホーチミン・ベンタイン市場のサンダル売り場では、必ず日本人に会う。「いくらで買った？」と情報交換。
ホーチミンでは若いカップルも見かける。
彼氏は完全に買い物の"お供"の状態。
ニャチャン島めぐりツアーの参加者、
ヤクルト古田似の京都の大学生。

夏休みを少しオーバーして旅をしている大学生が多い時期で、ツアーで会った男の子たちは学生の一人旅がほとんど。みんな結構こざっぱりと清潔で、もさくない。

ベトナム、好き？嫌い？

タイでつけたというビーズがかわいかった。

メコンデルタのツアーで一緒だった24歳のとしえちゃんは、タイ－カンボジア－ベトナムと一人旅。「ベトナムに着いてから嫌なことばっかり」とへこみ気味でした。ホーチミンでカンボジアからのバスを降りた途端ものすごい客引き合戦で、彼女をはさんでとっくみあいのケンカが始まる、という洗礼を受けたのだそう。

ニャチャンに新婚旅行に行った知人、２泊４日でも大好きになった人。話を聞くとはまって帰って来る人がほとんど。でも中には物乞いの子供たちにしつこくされ、食べ物にも当たっていい印象なんてない、なんてパターンも……。タイミングと運の問題なのかもね。私もホーチミンだけだったら、こんなに好きになってないと思う。

ベトナム人と結婚してハノイに住む、と意気込むベトナム命のひろみ。

ホーチミンで散髪体験

知人のお友達がネタ作りに、チャレンジ！

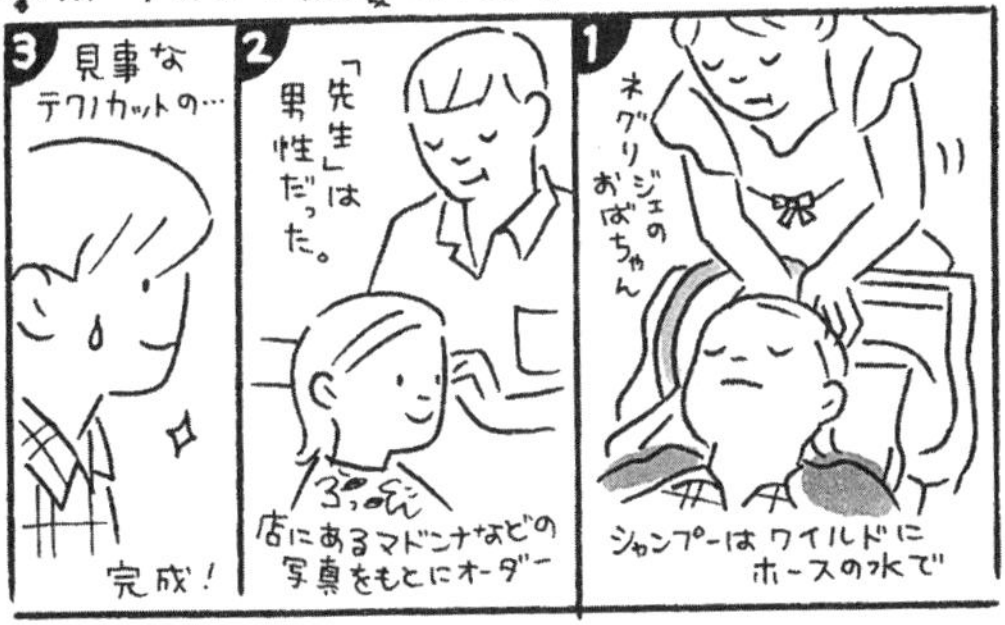
1
ネグリジェのおばちゃん
シャンプーはワイルドにホースの水で
2
「先生」は男性だった。
店にあるマドンナなどの写真をもとにオーダー
3
見事なテクノカットの…
完成！

対応が熱心でなかなかよかったそう。シャンプー、マッサージ付きで3万d（227円）。勇気あるなあ。

入口には鳥市場がある。鳥籠、買って帰りたかったな。

ハンザ市場

旧市街には北のドンスアンと南のハンザ、2つの市場があります。ハンザ市場はホテルのすぐ近くで、滞在中毎日通いました。

ここのおすすめは食器。バチャン焼き（ハノイ郊外のバチャン村の焼き物。P118を見てね）の店がほんの3軒あるだけなんだけど、なかなかの充実ぶりです。

かえってバチャン村よりかわいい食器を安く買えるんじゃないかな。村の食器屋がもう少し高級志向の品揃えで、単に趣味じゃないという、あくまでも個人的な意見なのですが……。

オプションでポットや湯のみを揃える。

◀ハンザでのヒットはパッチワークのポットウォーマー。前回すごく気に入って1つ持っているのですが、色、柄がぐんと豊富になっていてまた買ってしまったー。

カゴの中とフタがパッチワークになっている。不格好なつくりでかわいい♡

手前の店でなんだか高い値段を言われて、すぐに奥の店で同じものの値段をチェック。ベトナムって同業の店が何軒も並んでいて、共倒れしないか心配になるけど、こういう時は便利。いちいち比べないと正しい値段で買えないって事か…。

“セラドン・グリーン”とよばれる青磁もバチャンで作られている。やわらかい色合いが上品。

皿とカップのセット4客で2万4000d(182円)て…ベトナム、安いんじゃない? モノも悪くない。

シックで珍しい柄のバチャン焼きのセット。

みやげ屋によくあるバチャン焼きの柄はあんまり好きじゃない。

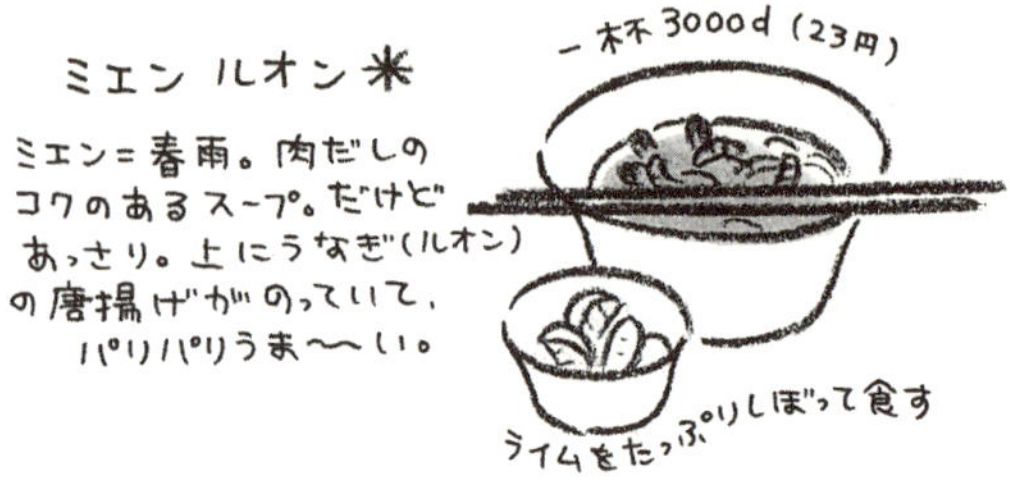
ミエン ルオン＊
ミエン＝春雨。肉だしの
コクのあるスープ。だけど
あっさり。上にうなぎ(ルオン)
の唐揚げがのっていて、
パリパリうま〜〜い。
一杯3000d (23円)
ライムをたっぷりしぼって食す

旧市街の夜

夕飯は昼間通りかかったイイ感じのコム屋通りに行こう、なんて初日に思い立ったものの、超方向音痴の私たちには慣れない旧市街はまるで迷路のよう。散々歩きまわって、結局たどり着けませんでした。

やっとホテル近くのハンザ市場に出た時にはお腹はペコペコ、足はふらふら。もうなんでもいい……と近くにあった〝ミエンルオン〟という店に飛び込みました。

ここが大当たり。夕食のピーク（6時〜7時）を過ぎても混み合っていて、地元の人気店みたい。そしておいしいだけじゃなく、この店では楽しい出会いがありました。

あまりにうまい麺の名前や中の唐揚げの素材を知りたくて、隣りの席の若者3人組にあれこれ質問。そこから会話

ちょっと しきり屋でチャキチャキした ティアン・トゥー
真面目で芯の強そうな
テュエット
突然はしゃいだり黙り
こんだり、子供みたいなフォン

が始まって、カフェに招待されることになったのです。旧市街に住む23才と22才の女の子、ティアン・トゥーとテュエット、24才の男の子フォン。英語がしゃべれないので、言葉のシートと身振り手振りだけの会話（?）です。

ずいぶん歩かされて到着したのが暗い小さなカフェ。エッここ？　と思ったらティアン・トゥーの家で、ただ着替えに寄っただけみたい。今まではパジャマだったのに（ベトナム女性はパジャマで街を歩くのですよ！　旧市街は特に多い）急におしゃれしちゃって、カフェに行くくらいでずいぶん見栄っぱりな子だなぁ、と思っていたら3人が連れて行ってくれたのは流行最先端のカフェバーでした。

言葉がまったく通じないって大変だったけど、ビールで酔っぱらって散歩したり、夜の街をバイク3人乗りで走ったり、女の子2人の勤める旧市街の美容院に遊びに行ったりと、楽しい思い出がいくつもできました。

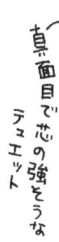

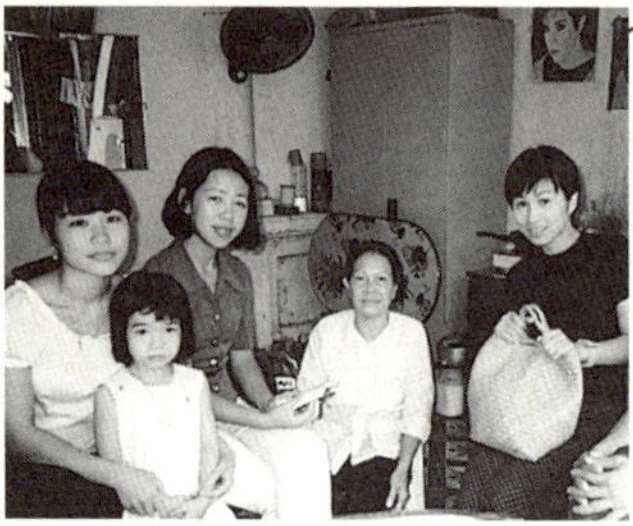

女の子2人の職場。旧市街っぽい昔風の美容室。

最初言葉が通じなくてフォンの仕事がわからなかった。その後毎日ハンザ市場で会うので、市場の警備員と判明。

かなりデコの広がっているフォン。▶
それはそれでかわいいが、
制服を着るとかっこいいなあ。

二人の女の子は腕を組んでくる。若い娘同士が腕を組んだり手をつないだり、ベトナムではよく見る光景。中学生みたいでテレてしまう。

好き合ってるってこうやるのかぁ…。

ティアン・トゥーが何度も「デュエットとフォンはデキてるのよ」ってひやかしていた。デュエットは「違う！」って怒っていたけど？

顔をくしゃくしゃにして笑う

ゆかいな男たち

初めてのベトナムで、タクシーの車窓から街を眺めてまず驚いたのが、昼間になぜこんなにたくさんの男がのらくらしているんだ？　ってことでした。

ベトナム男はなまけもの（に見える）。昼間っからカフェに座り込んで悠々《ゆうゆう》自適《じてき》、男同士おしゃべりに花を咲かせています。

旧市街も例外にもれず、奥さんに店をまかせてサボっているらしきおじさんのなんと多いことか。

旧市街のおじさんたちは、他の街よりさらに愛敬《あいきょう》があって人なつっこい。路上でコ

トシちゃん似
市場の人達はお昼を
出前で食べている
やさ男風のドンスアン市場の
アクセサリー屋さん。ひろみちゃんに
値切られて、帰ってきた奥さんに
どやされていた。

ーヒーやビールをひっかけて、うれしそうに私たちをひやかしたり、写真を撮っているとオレを撮れ〜！　なんてはやし立てる。たかが観光客の小娘と話すのにあんな無邪気に笑うおっさん、日本にはいないよー。

逆に市場や店を取りしきる女たちは、実に元気で働き者。故《ゆえ》にやっぱり女性のほうが強いみたいで、男の人に値切るといちいち妻に伺いを立てるのがおかしかった。

おじさんも若者も、絶対ホーチミンよりかっこいい人が多いと思う。変にしゃれっ気がないから？　実直な職人さんが多いから？　チャラチャラしていなくてさわやかなのだ。こんなことも、ホーチミンよりハノイを好きな理由の1つだったりして……。

ビリヤードと将棋がはやっている

女性はスラッとしているのに、
男性は背が低く足が短い。

よく見るのが▶
9:1分けで異常
に後頭部の
ふくらんだ青年。

ホテルスタッフの
フン

ラルクのハイド似のスイートな顔
をしているのに、このヘアスタイルで
台無し。

おっさんに限らずまず聞かれるのが年、
夫の有無。いないと言うと恋人は？と
続く。みんな結婚の話が大好き。
右のフンによると女は23、4で、男は25、6才で
結婚するのが一般的らしい。それにしては
いい年の独身男が多いな。ホテルの3人も
27、8、9才なのに恋人もいないって言ってたし…。

番外編

◀ハノイのお坊
さんは茶色い
ニットキャップを
かぶっていて（日中は30°Cくらいに
なるのに！）カワイイのだ。

このバッグの持ち方…

アーミーヘルメットをかぶった
男性が激減。この2年で
ハノイもグッとアカ抜けた。

ホアンキエム湖のほとり

旧市街の南にあるホアンキエム湖は、散歩するのにちょうどいいくらいの大きさ。将棋を指す男たちやぼんやりベンチに腰かけるおじいさんなど、人々が集《つど》う憩いの場です。

湖周辺はみやげ物屋やレストランが多く、外国人旅行者度が急に高くなるハノイ観光の中心地。国営デパートが建設中だったりとこれから大きく変わりそうなエリアです。

ぐるっと一周歩いてみたら、2年前にはなかった高層ビルが湖のむこうに見えました。観光・商業ではだいぶホーチミンの遅れをとっているハノイ、目立った変化はそんなにないと思っていたけどやっぱり変わってゆくんだな。

勝手な願いと知りつつ、いつまでもゆったりとした時間の流れる、今のままのハノイでいてほしい。

THUY TA (カフェ) / 1 Le Thai To

FANNY (アイスクリーム) / 48 Le Thai To

旧市街を背に湖の右側は、観光客向けのしゃれたカフェが並んでいます。

トゥイータ
THUY TA

湖沿いの一番いいポジションに建っていて、気持ちいい。オープンエアのスペースが広くてくつろげます。

グラス入りヤァオア

sampan
3万5000d
(265円)
3万8000d
(288円)
SOCO LIE

ファニー
FANNY

高いけどおいしいアイスクリーム。舟やシクロを形どったものもあってかわいいんだ。

岸辺にはかっこいいジイさんが出没。

ハノイで食べる

旧市街は地元民のための食堂や屋台ばかりで、おいしい店に当たりやすいのがうれしい。

フォー

PHO

ベトナムを代表する麺料理、フォーの本場はハノイです。南は麺にぬめり気があって、香草やもやしがどっさりのった具だくさん。北はツルツルした麺で具も味もあっさりしている。私は断然北派で、ハノイ以外のフォーはあんまり好きじゃないくらい。

おばあさんのフォー屋

（P98 map ③）

ホテルのマダムに教えてもらったおいしいおいしいフォー屋さん。

6000 d (45円)
Pho Ga (ガー＝鳥肉)

きしめん風の麺とあっさり鳥ガラスープ、蒸した鳥肉とネギだけの実にシンプルなフォー。すごく日本人好みだと思う。大好き。

中にも外にもテーブルがあり、おばあさんが1人で切り盛りしている。

ブン

フォーと同じ米麺、そうめんみたいでブヨブヨと柔らかい。ハノイはブン料理が多くて、どれもとってもおいしい。

ブンチャー
BUN CHA

6000d (45円)

焼肉入りのたれの中に香草とパリパリの揚げ春巻き、ブンをつけて食べる。そのままだと臭ーいたれと、たっぷりのハーブがなんともいえないハーモニーをかもし出し、クセになる！　複雑な味のわりにあっさりしているのが不思議。

旧市街には何軒もブンチャー屋があります。ホテル横の店はあげ春巻きがついていなくてがっかり。▶

チャーカー
CHA CA

雷魚と野菜をカレーみたいな色の汁でいため、ブン、香草、ネギ、ピーナッツを混ぜて食べるハノイの名物料理。うまいがけっこうディープな味で、後半キツイ。

◀私が行ったのは創業100年の老舗店「チャーカー・ラボン」。

CHA CA LA VONG / 14 Cha Ca (P98 map ④)

ブンオック

BUN OC

今回の旅で食べたごはんの中で１番好きかも。トマトの酸味が効いたスープは、ほどよいピリ辛さ。ブン料理の新境地を見た１品（……と感激して日記に書いてある）。

ドンスアン市場の階段下で店開き

お腹が減っていなかったので、一杯を二人で分けました。それでもスルスルお腹に入る。
4000d(30円)

うまい…。

コムビンザン

昼時のコムビンザンはとにかくおかずの種類が豊富で、おいしそうにディスプレイされている。街のあちこちにあるので人がたくさん入っている店を選ぼう。

✳昼ごはんを食べたコムビンザン✳

あげ春巻き、魚、なんでもハサミで切り分ける

たくあん?!と思ったら、淡白な味のじゃがいもの煮ものでした。

ボーラ・ロット。ちょっと苦いロットの葉で牛肉ミンチを巻いて焼いたもの。

コムビンザン夜の風景

みんなよく似てる。私も馴染んでない?

夜９時、閉まりかけのコムビンザン。最後の客の私たちの横で、店の人たちが残り物で遅い夕食をとり始めました。おばあさん中心に家族８人、１日の終わりのなごやかな時間。

中学生らしき弟も兄ちゃんも感心するほどよくお手伝いをする。

さすがにおかずの種類は少なくなっていたけど、お母さんがさつまあげをサッと揚げ直してくれました。アツアツでおいしかったなー。うれしい心づかい。

色合いは好きなのに
なかなかグッとくる
柄が見つけられない。
有名なホーチミンのREXホテルの器も
バチャン焼き。これは素敵と思う。

バチャン焼きの村

ハノイからのどかな田園地帯を車で走って30分、８００年の伝統を持つ陶器村・バチャンへ。

タクシーをチャーターすると（村では帰りのタクシーを拾えない）高くつくので、ホテルでお願いしました。８時間30ドルを値切って2人で24ドル（２５４４円）。

バチャン村は……私たちにとっては期待外れでした。高級で小ぎれいな店か、やる気のない小さな店のどちらかしか見つけられなかった。

そもそもバチャン焼き自体に、たいして興味がないのが原因かも。白地に藍《あい》の染めつけが美しい器はどちらかというと大人好みで、私のような〝チープなもの好き〟にはちょっと違う感じ。それでも陶器の村なんて何かおもしろい

筆で一気に描いたような花柄がかわいい
チープなソンベー焼きのほうが好み。*
前回、食堂では見るのに、市場で全然見つけられずに途方にくれました。ホーチミンの道端で割れたソンベー茶碗を見つけた時には、せめてカケラでも持って帰ろうとしたひろみちゃん…。 今回はホイアンやホーチミンのチョロンで見つけることができました。

ものが見つけられると思ったんだけど。

店が妙に強気で、楽しい値切りができないのも原因の1つです。

「ホーチミンや日本に卸《おろ》しているから店頭売りには力が入っていなくて、並んでいる商品もB級品が多い」

という噂がなんとなく信じられてしまう。

文句を言いながら時間はがっちり使ってそれなりにエンジョイしましたが、そんなわけで買い付けはできませんでした。

でもこれはあくまでも趣味の問題なので、好きな人にはたまらない村のはず。バチャン焼きも、ここ最近人気の青磁〝セラドングリーン〟や白磁の器も、デザイン、品数はどこよりも豊富なのですから。

* 焼き物の村ソンベーは
ホーチミン近郊にあるそう。

村は思ったより広い。
のどかな土の道を、
食器を積んだトラックや
リヤカー付きのバイクが
時おりガタガタと走り
抜ける。この日、観光客
は私たちだけでした。

塀にはりつけられているのは窯の燃料

ちょっと高級な店のおじさん
が、2つある自分の陶器工場
を見せてくれました。
さんざん案内してもらって
1つも買わなかったけど、
最後までニコニコ
してくれました。

愛想が良くて
やさしいんだけど、
男の人に珍しく絶対
まけてくれない人で、
交渉決裂。

小さな茶碗の型取り

絵付け作業中。外壁には
やはり燃料がついている。▼

ある店でおばあさんに、▶
カーディガンの開いた胸元の
ボタンをかけられるひろみちゃん。
ビックリしていたら「うんうん」
って満足そうにうなずいて
いました。「ふしだらよ」って意味？

中のキャミソールを見せていた

話し好きのお姉さんがいる店でかなり長居しました。そろそろ帰ろうかなぁと思っても次々とお茶をつぎ足してくれちゃうのだ。

この店になんともいい絵柄のつぼがあった。'70S風、いや子供の図工の絵のようなパンチのある絵柄。彼女の弟が描いたんだって。

茶色い小皿になぐり描きのスワン。これも弟作。弟、絵心あるなぁ。

ちゃっかり日本人観光客宛ての手紙の返事を託された。

黒と青のみでシック。4万d（303円）

＊小さな市場で昼ごはん＊

◀入口でおばさんがうまそうにパクパク食べていたブン料理を食べてみました。つけ汁がウィスキーそのもので激まず。吐きそうになりながらも残せない私…。この日は食事運にも見放されてしまった。

村で買ったもの

茶色いライン入りの白磁のカップ＆ソーサー。ボロイ店でホコリをかぶっていた。2セット3万2000d。（242円）

バチャン村でうれしいのが、器を買うと小さなカゴに入れてくれる事。

シクロのトラブル

ある夜ホテルのフンに、仕事が10時に終わった後ビアホイ（安ビールの居酒屋）に行こうと誘われて、遅い時間だなぁと思いながらも３人で出かけて行きました。

ホアンキエム湖近くのシケたビアホイで軽く飲んで店を出ると、もう11時半。この時間の旧市街なんて暗くて人通りもないのに、フンったら湖のところで、じゃあボクは帰るからシクロにでも乗ってね、なんて言って帰ってしまった。

少し酔っていた私は寄って来たシクロに５０００ドン（38円）で行くと言われて、するべき事をせずに乗り込んでしまいました。涼しい夜の旧市街の風はとても気持ちがよく、少年のような20歳のシクロマンはあれこれと親しげに話しかけてきました。ところがホテルに着いて５０００ドンを払おうとしたら……オレは1万５０００ドンと言ったはずだ！　と態度を急変させて、３倍の値段を言ってきたのです。

今まで紙に書いてしつこく確認した上で乗っていたのに、ここまでトラブルもなかったからつい気を抜いてしまった……。後悔しても後の祭り。

うわぁー、気持ちいい！なんて
喜んでいたんだけど…。
珍しく長髪だった。
どう見ても15、6に見える。
たいしてシクロに
乗らなかったから、
トラブルはこの1回
だけでした。

5000ドンって言ったでしょ、とお札を渡そうとしても受け取らない。らちが明かないのでシクロの座席にお金を置いて、シャッターの閉まったホテルにブザーを押して入ろうとしたら、すごい勢いで怒りながらついてきました。

フロントで寝ていたクーイが間に入って取りなしてくれたけど、シクロマンはガーガー怒鳴《どな》って破いたお札を床に叩きつけて帰ってしまいました。

若い小ぎれいな子だったから怖くはなかった。ただただビックリ。クーイに相場を聞いたら5000ドンで合ってるって言うし、自分の嘘でよくあんなに怒れるなぁ、とちょっと感心してしまいました。

もとはと言えば遅い時間に誘ったフンがサッサと帰っちゃったから……。フンはニコニコと感じはいいけど、仲間の間でも問題児のようでした。

看板のほのかな明かりだけ、
のオープンカフェ。
Café
Hang
小さな籐の椅子と木の机がかわいい。
このカフェの住所は37 DUONG THAM。
(ハンザ市場のすぐそば)

夜のカフェ

どんな田舎にでも絶対あるのでは……と思うほど、ベトナムにはいたるところにカフェがあります。これもフランス植民地時代の名残りなのかな。

旧市街のカフェは薄暗い小さな店が多くて、他の街とはひと味違うひそやかな雰囲気です。

特におすすめなのが夜。店先にだけ小さな明かりが灯されて、ますますあやしくていい感じになるのです。

GIAI KHAT (カフェ) / 15 Bat Dan

CAFE GIAI KHAT

(P98 map 5)

◀ホテル近くの小さなカフェ。暗い店内が妙に落ち着く。

カフェの入口にはたいてい玉すだれや細いテープののれんがかかっていて中が見えない。

警官ドラマを夢中になって見ていたおじさん

冷蔵庫に入っている作り置きのコーヒーと、練乳を合わせて作るカフェ スア ダー

3000d（23円）

アルミフィルターに比べて趣きはないけど、おいしかった♡

お寺はながめるけど、たいしたことはない。

サイクリングの思い出

2年前、ホテルでオンボロ自転車を借りて1人でハノイをまわりました。

緑いっぱいで大小の湖、寺院が点在しているハノイはサイクリングに最適の街。交通量がそんなに激しくなく、ペースもゆっくりなのですぐ波に乗れました。

一通の道に入り込んだり迷ったりしながらも、すごく気持ちがよくて楽しかった！

今年は最終日にのんびり湖をまわろうね、なんて2人ではりきっていたのに、買い付けのスケジュールが押して結局行けませんでした。今回それだけが心残り……。

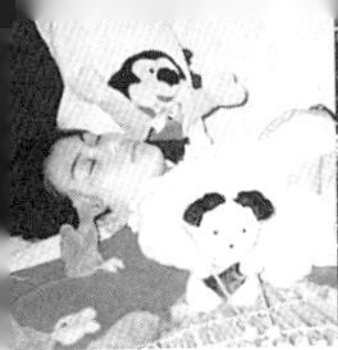

１日走って帰ったら もうヘトヘト！ 腹を出して爆睡する私の
まわりには何やらヘンな演出が…。

ホーチミン廟のあるバーディン広場付近は
道がだだっ広くて気持ちいい！ 広場には
巨大な赤い国旗がはためいていて、普段は
ほとんど感じない社会主義国家・ベトナム
を改めて意識させられました。

とにかく暑いわ
ボロ自転車のせいで
すぐにおしりが痛くなるわで
木陰のベンチで休んでばかり。

◀菓子パン売りの
おばさんに
日本語
レッスン中。

大きなタイ湖に沿って
走るイエンフー通りは、
安食堂が並ぶ
いい感じの通り。

１人で来て黙々と食べる
おやじばかりのコム屋で、お昼を
食べました。

おまけ・ハノイの犬たち

訪れた各地で、ペットや半野良の犬たちをたくさん見かけました。

不思議なのが南のホーチミンで見る犬のほとんどが中型の短毛犬ばかりなのに対し、北のハノイ・旧市街には見事なまでに小型の長毛犬しかいないこと。みんな放し飼いだから、土地によって似たような犬ばかり増えていくのかしら。

私はモコモコしたチビ犬が好きなので、旧市街ではかわいい犬がたくさん見られてうれしかったな。

ジイさんっぽいルックスの犬が多い。

全国的に受け口犬もよく見るのよね…。

※旧市街はきちんと飼われている感じ。ホーチミンはもうちょっとワイルド。

◀同じ小型犬でもホーチミンだとこうなる。ただ老犬なだけかなぁ。今にも行き倒れそうな風貌。

ひと休みの旅

HOI AN

ホイアンの休日

ハノイ、ホーチミンでの買い付けの間に、２日間の中休みとしてホイアンを旅のスケジュールに入れました。

ハノイからダナンまで飛行機で1時間、そこからさらにタクシーで約1時間の道のりです。一律15ドルのエアポートタクシーを、飛行機が一緒だった日本人男性とシェアして街に向かいました。

ホイアンは半日もあれば観光ポイントをまわれてしまいそうな、本当に小さな街。チャンパ王国の時代から17世紀にかけて貿易港として栄え、３００年前の朱印船交易時代には日本人町があったといわれています。ここに興味を持ったのは行ったことのある人が口を揃《そろ》えて、

「一番好き！」「ホッとする」

タクシーをシェアした名島さんは
30代半ばのお医者さん。
カンボジアの小児病院での
契約が終わり、日本に
帰国する前に一週間
ベトナム旅行をしていた。
偶然ホテルも一緒で、
夕飯を食べたりしました。
カンボジアと比べて道路も
整備されていて、何より物の
多さにびっくりしたそう。

とほめちぎるから。それだけに先入観がありすぎて、初めは思ったより〝観光地〟なホイアンに戸惑《とまど》ってしまいました。

メインストリートのチャンフー通りには華僑《かきょう》たちが建てた中国様式の古い木造の家並みがそのまま保存されていて、しっとりとした独特の雰囲気を醸《かも》し出しています。欧米人ツーリストが目立つのも、そんな東洋的な美しさがうけているんだろうな。

みやげ物屋がズラッと並ぶ様は軽井沢《かるいざわ》を感じなくもないけど、こぢんまりとしていて〝観光地〟であることが逆にとてもリラックスできました。平和でひたすらのんびりしているホイアンは、特に何もせずにゆっくり散歩するにはぴったりの街です。

ホテル〝ヴィンフン〟

ホイアンではちょっぴり贅沢《ぜいたく》しようと思って、築150年の中国家屋を改造した有名なホテル〝ヴィンフン〟に泊まりました。

35＊ドルの2部屋は調度品や造りが昔のままで、ツーリストに大人気。しかしこの部屋には大きな落とし穴が……。古いぶんかなり汚いのです。部屋中体育倉庫みたいな匂いで、何度取り替えてもらってもシーツ、ピローカバーが人臭い。匂いと、アトピーのせいで不潔寝具に過敏な私にはだいぶつらかった……。もう1つ困ったのが部屋の暗さ。窓が小さく照明が少ないので、日中でも日記を書くのが大変なほど。

それでもこのホテルには、臭さにも暗さにも代えがたい素晴らしい利点が1つありました。2階の古い2部屋の間にある専用テラスが、最高に居心地がいいのです。日記や友達へのファックスを書いたりうたた寝したり、古き良きチャンフー通りを見下ろしながらボーッとしたり……。特に夕方からは家々の軒《のき》先に下がる提灯《ちょうちん》に灯が灯《とも》り、旅情をかき立てられるそれはそれはロマンチックな光景なのです。

VINH HUNG（ホテル）／143 Tran Phu

＊ハイシーズンは45ドル

天蓋付きの
ゴージャスベッド
くさいよ〜
1ドルだけ安くなって、2人で34ドル(3604円)。

広ーいベッドで、下に敷いたタオルからはみ出さないように眠る。(ひ)は服が臭くなるのが嫌…と裸にバスタオルをしぼりつけて寝ていました。

VINH HUNG
HOTEL

朝食もテラスでとる。

チャンフー通りには高い
建物や木がないから、
昼間は照り返し
地獄。昼はここで
のんびりして、夕方に
近づくと散歩に出る。
そんな過ごし方が
気持ちよかったな。

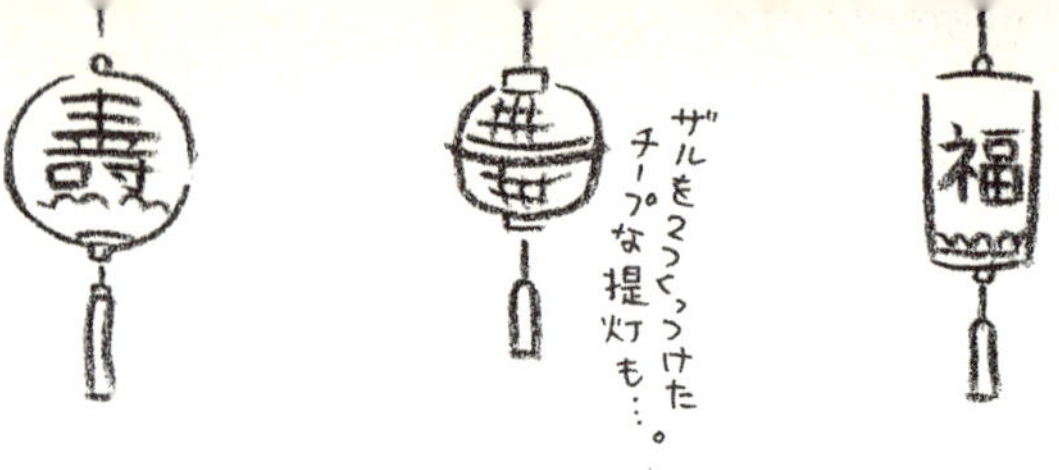
福
壽
ザルを2つくっつけたチープな提灯も…。

昼間のチャンフー通り

夕暮れのホイアン

この街の魅力が1番発揮されるのは、夕暮れから夜にかけての時間です。

軒先の提灯のほかに、みやげ物屋の店頭で売られている小さな提灯にもいっせいに灯が灯《とも》されて、昔懐かしい縁日のような風《ふ》情《ぜい》。幻想的に変身した通りを歩くと、わくわくしながらもちょっぴり寂しいような、なんだか切ない気分になります。

通りでは子供たちが元気に走りまわり、家の前では家族みんなが仲良く夕涼みをしている。カーッと照りつける昼間とは一変、なんともやさしい表情を見せてくれます。

◀赤、黄、オレンジ、紫、色とりどり

ランプの明かりがいい雰囲気の屋台もたくさん出る。

箱の中にろうそくが入っていて、切り文字から光がもれる美しい看板。

家の前で獅子舞いの面をかぶって踊っていた子。腰のフリが妙にうまくてウケた。

笑っていたら何度もやってくれました。

細い路地を歩く

チャンフー通りのはしにある来遠橋は日本人が建てたと言われています。

橋の入口の提灯
フェフォ

インチキ日本語！と思ったらチャンパ王国時代のホイアンの呼び名でした。

✤ 街の南を流れるトゥボン川の岸辺をお散歩。

川岸のベンチで一人のんびり夕陽を眺めようとしても、ボートやレストランの客引きの子供たちがひっきりなしにやって来る。

川沿いの家の入口でおばあちゃんが夕涼み
奥で犬がぐうぐう寝ていた
ハロウ

私の横に腰かけて、髪の毛のしらみつぶしが始まっちゃったよ。

ホイアンで食べる

カオラウ
CAO LAU

ホイアンで楽しみにしていたのが名物の“カオラウ”を食べること。きしめんとうどんの間のようなコシのある米麺で、一説によると日本人の伝えたソバがもとになっているとか。チャンフー通りには何軒も専門店が並んでいます。

おいしい焼豚と香草、上にはカリカリのおかき。丼の底の少ない汁とかき混ぜて食べる。

◀"42 チャンフー"のカオラウ。おかきが少々油っこくて後半くどい。6000d (45円)

42 TRAN PHU/
42 Tran Phu

イエローリバー
YELLOW RIVER

ここのは文句なくおいしかった！焼豚に焼きそばソースのような味が染み込んでいて、うまいんだ。

おいしいヌックトゥオン(大豆しょうゆ)をかけてお好みの味に。
さらに上からおせんべいを割り入れる
6000d
(45円)

店舗も古くてすてき。
店からチャンフーSt.をのぞむ▼

YELLOW RIVER / 38 Tran Phu

おすすめの店

チャンフーSt.に面した
テラスが開け放たれて
いい気持ち。

ファイフー
FAI FOO

チャンフー通りのみやげ物屋の、美人姉妹がすすめてくれたベトナム料理のレストラン。おいしくて値段も安い。

料理、デザートを3品ずつ、
ビールも飲んで1人216円。

✳ホワイトローズ✳
WHITE ROSE

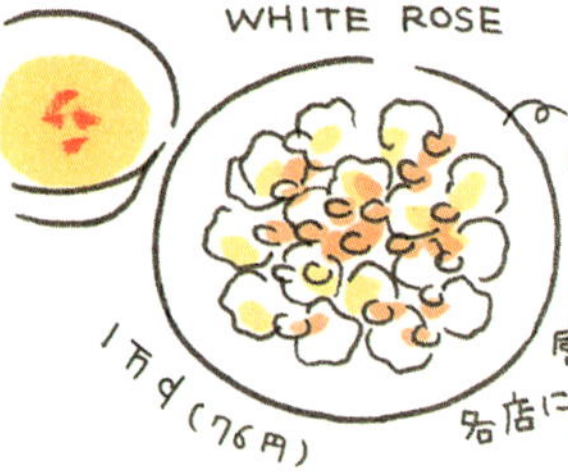
1万d(76円)

カオラウと並ぶ名物料理。プリプリ
のエビが入った一口しゅうまい。
ここのは激うまだったんだけど、
トゥボン川のフローティングレストラン
のは「エビ、入ってんのー？」って
感じだった。1つの店で作られて、
各店に卸しているって本で読んだけど…
なんでこんなに違うんだろ？

スカウト
SCOUT

広い前庭にテーブルが並んだオープンカフェ。古い空色の壁と赤いイス、木々の影、なんとも気持ちのいい空間だった。夜はバーになっていました。

午前中だというのにおじさん
4人組が楽しそうにだべっていた。

FAI FOO（レストラン）/ 104 Tran Phu
SCOUT（カフェ）/ 3B Tran Phu

おやつ

＊市場のお菓子屋さん＊

トゥボン川沿いの市場の前で店開き。

乾パンをやわくしたような、クセになるおいしさ！1コ500d（4円）。

＊ヤァオア＊

ホイアンのヤァオアはフローズン。小さなプラスチックの容器がかわいい。レストラン、お菓子屋さんで1コ1000d（8円）。

＊レモンコーヒー＊

ハノイのカフェバーでティアン・トゥーに教えてもらった飲みもの。レモンジュースに少量のコーヒーを混ぜる。すっごくおいしい！

メニューになくても作ってくれます。

ELEGANT

若い頃は美人だったろうな

おばさんはすごい研究熱心。ヴォーグなどのファッションページやスーパーモデルのパーティースナップの切り抜きを用意して、「なんでもコピーしまっせ!」といった風。

オーダーメイド初体験

2日目はお昼過ぎから、プラプラとチャンフー通りのみやげ物屋を覗《のぞ》いて歩きました。この街はやけに仕立て屋が多くて、観光客向けのオーダーメイドが盛んなよう。

1軒の店先にその店を褒《ほ》め讃《たた》えた日本語のプラカードが掛《か》かっていて、いかにもうさん臭いなぁと見入っていたら、中にいたド迫力のオバさんに招き入れられました。

かなり太めで化粧が濃い、ベトナムでは珍しいタイプのそのおばさんは、英語を巧みに使って何冊ものアルバムを見せてきました。欧米人旅行者たちが作った服を着て

ELEGANT（仕立て）／148 Tran Phu

ひろみさんはコーデュロイの
おしゃれスーツを注文
丈やディテールを口や絵で
ササッと伝えただけだし
期待していなかったのに、
かなり出来がいい！
ピッタリ体に合うのはもちろん、
細かいデザインのニュアンスも
よくわかってくれていた。
このおばさんは特に、今の
センスを持っていると思う。
上下で22ドル(2332円)
布を選んでサイズを計って、
仕上がりまで6時間。

にっこり、という写真。アオザイよりスーツやパーティードレスなどの洋服がメインで、けっこう素敵な服が多い。ここまで買い付けだけに専念していた、ひろみちゃんの我慢《がまん》がまずハジケてしまいました。

私も、オーダーメイドなんて贅沢《ぜいたく》な……と思っていたんだけど安いと言われているハノイよりさらに安いのです。そのうえ作業が目茶苦茶早い。夜7時にパンツを作りたくなって、明日の早朝出発だから無理だね、なんて言っていたら、大丈夫！　と本当に2時間半で作ってくれちゃった。

日本から作って欲しい物の写真を持って行けば何でも作ってくれそう。アルバムの中にはダッフルコートまであったもの。

SON CA

アンちゃん
ひっきりなしにバナナとお茶をくれるじいさん

おじいさんと孫…と思いきやなんと親子。
「エーッ70代後半に見えるのに17の娘〜!?」
とビックリしていたら、64歳だった。

おばさんが強烈すぎて一見あやしい感じがする〝エレガント〟と違って、向かいの〝ソンカー〟は誠実そうで雰囲気がいい。応対してくれた17歳のアンちゃんは、英語がペラペラで値切り交渉も一手に引き受ける、とてもかわいいしっかり者。

アンちゃんとのおしゃべりは楽しかったけど、この店のセンスはいまいち古い。言えば徹底的に直してくれるから、何日か滞在する人なら思い通りに作れると思う。私たちは出発前日だったうえにちょっとややこしい注文をしたから、伝わらなかった。

それでも、3時に注文してから2回も直しを頼めました。最終的に受け取ったのは出発前の朝6時！　みんながんばるなぁ。

SON CA（仕立て）/ 127 Tran Phu

夜は父母だけで、ほとんど英語が通じなくなってしまう。

私のオーダー

・オーソドックスなものなので直しはなし。

満足！
アオザイ型シャツ 4ドル(424円)！
これだけはP140のELEGANTで作ったパンツ。8ドル(848円)
小さな切り込み入り

母のベスト

表はシルク、裏地は中国布。7.5ドル

ひろみのオーダー

・最近別珍のパイピングに凝っている。

5ドル(530円)
最後まで直らなかったウェスト部分。「こんな家庭科で作るスカートみたいな芯いらない…」とがっかりしていた。8ドル(848円)
商品用にトランクス。バンビやバラの刺しゅう入り

SON CAにはお客の感想ノートがあって、日本人もたくさん書いていた。みんなバンバン作っていて、中には「親子で20着作っちゃった♡」という強者も…。すごーい。

魅惑のアオザイ

ベトナムの民族衣装、アオザイは“長い衣”という意味。日常的に着ることはないみたいで、女性の制服としてホーチミンではよく見かけます。着てみたい……と憧《あこが》れるけど、華奢《きゃしゃ》なベトナム女性だからこそ似合う服よね。

アオザイの制服

私が一番初めに見た生アオザイは、ベトナム航空の制服。機内乗務員はピンク、地上勤務員はブルー、２着ともパッと目を引くきれいな発色です。

ピンクと銀のふちどりのエプロンをするとますます素敵♡
＊うわさ通り、アオザイは下着がスケスケ。全然平気みたい。

搭乗口にいた、白い帽子がかっこいい女性。
余談ですがベトナム航空は毛布もかわいい。
欲しかった…

銀行、郵便局、レストラン、公共機関や観光関係の店は制服にアオザイを採用しているところが多い。ひらひらと裾《すそ》をひるがえし、なんとも優雅でかっこいい。

◀ホーチミンのホテルのフロントの女性は
洋服だとどっからどう見ても年下なのに、
アオザイを着た途端大人の女性に
変身。上半身はピタッと、腰から下は
ゆったり。全身のシルエットはすらりと
しなやかで、女性が1番
女性らしく美しく見える
服だと思う。
＊最近の流行は長めのアオザイ。クアン（パンツ）
はかなりのゆったり派が多い。
おしゃれアオザイ
ホーチミンで見た、珍しい
普段着風の着こなし。
狙ったわけじゃなく、偶然▶
かっこよくなっちゃった感じがいい。
結婚式
ハノイで唯一
見たアオザイは、
おばさまの礼服。
アオザイが短かく、
柄も派手！
ふた昔前の流行？

女子高生のアオザイ

高校生の制服もアオザイ。色は「純粋」の象徴、白。女子高生のアオザイ姿がなんと言っても1番！　清楚《せいそ》で可憐《かれん》で見るたびにときめいてしまいます。みんなウェストの細いこと細いこと。この制服を着る3年間は絶対に太れないだろうな。

白無地ではなく、白い模様の入ったポリエステル地が主流
片方の裾をつまんで自転車に乗る姿はなんとも優雅。

＊カントーの女子高生＊

カントーでは女子高生の下校タイムに遭遇してうれしかった。帽子でおしゃれを楽しんでる。

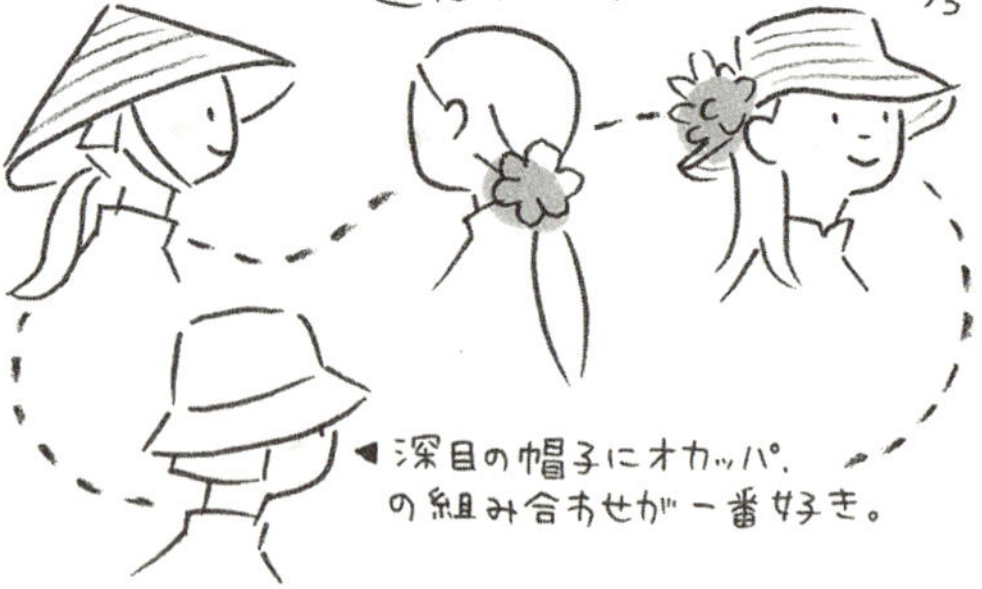
ノン
造花付きゴム
造花付き麦わら
◀深目の帽子にオカッパ、の組み合わせが一番好き。

買い付けの旅2

HO CHI MINH

サイゴンにやって来た

クラクションを鳴らしっぱなしの乱暴なタクシー、空港を出た途端のものすごい数のバイク、昼間だというのに道端に座り込む人々、ほこりっぽさ、喧噪《けんそう》……車窓から初めて見るホーチミンの風景は映画でも観ているようで、まるで現実のような気がしませんでした。すべてに圧倒されてしまって、なんだか車を降りるのが恐ろしかった。ホーチミンという街のパワーに飲み込まれてしまいそうでした。

こうして'97年秋、私はかなりビビりながらベトナムの地を踏みしめました。

＊"サイゴン"は1975年までのホーチミンの旧名。今でも現地の人々は"サイゴン"と呼びます。

路地を曲がると、
変わらない風景がある。
チョロン
バスターミナル
ビンタイ
市場
サイゴン行き
バス乗り場
チョロン
郵便局
〈チャンフンダオSt.〉
CHO LON

「静」の首都ハノイに対してよく言われるのが「動」のホーチミン。街は目の回るようなスピードで動き続けています。2年前はあちこちで大がかりな工事が行なわれ、開発のまっただ中。今回は高層ビルがさらに増えて、大きく様変わりしていました。10年前とは全く違う風景なんだろうな。

騒々しくて初めはとっつきにくかった街は、やっぱりどこよりもいろんな物、店、人が集まっていて、エネルギッシュでおもしろい。ビルが建ち並ぶ目抜き通りにだって屋台が出て、ほかの街同様どこかのんきなムードも漂《ただよ》っているしね。

ベトナム最大の商業都市で6日間、怒濤《どとう》の買い付けツアーを楽しみました。

ホーチミン・ミニホテル比べ

ミニホテルと一口に言っても値段の幅は広く、はっきりした定義はないみたい。縦長の建物に部屋数は10室前後、’95、’96年以降に建てられた個人経営のホテル……といったところ？　高いお金を払って中級ホテルに泊まらなくても、サービスが良くてフレンドリーで、かなり快適です。

今回利用した2軒のうちの1軒目は、知人おすすめの〝ブーシャウ〟。安いうえにスタッフが目茶苦茶いい人たち！　しかしホテルの建つ騒々しいデタム通り近辺がどうにも苦手で、初日の、カントーに行く前日だけの滞在。

もう1軒はガイドブックから選んだ〝リン〟。安くはないしちょっとかしこまっているけど、値段以上にいい部屋で場所も便利。買い付けの間ずっとここで過ごしました。

VU CHAU（ホテル）/ 37 Bui Vien
LINH（ホテル）/ 16 Mac Thi Buoi

✤チープ派✤

VU CHAU

安宿とツアーオフィス、旅行者の集まる地区に建つ。シャワー、エアコン付きで2人で12ドル(1272円)。'96年築だから清潔、部屋は狭くてちょっと暗い。

中学生の部屋みたいな合板家具と、壁にかかったアサガオの造花がわびしい。
でもね、人は本当にいいのよ。
27才の兄ちゃん

かわいくはないけど立派な部屋

✤ちょっとゴージャス派✤

LINH

観光のメインストリート、ドンコイ通りのすぐそば。中級ホテル並みの設備とサービスで、2人で30ドル(3180円。35ドルを値切って)。

✳朝食もゴーカ!✳

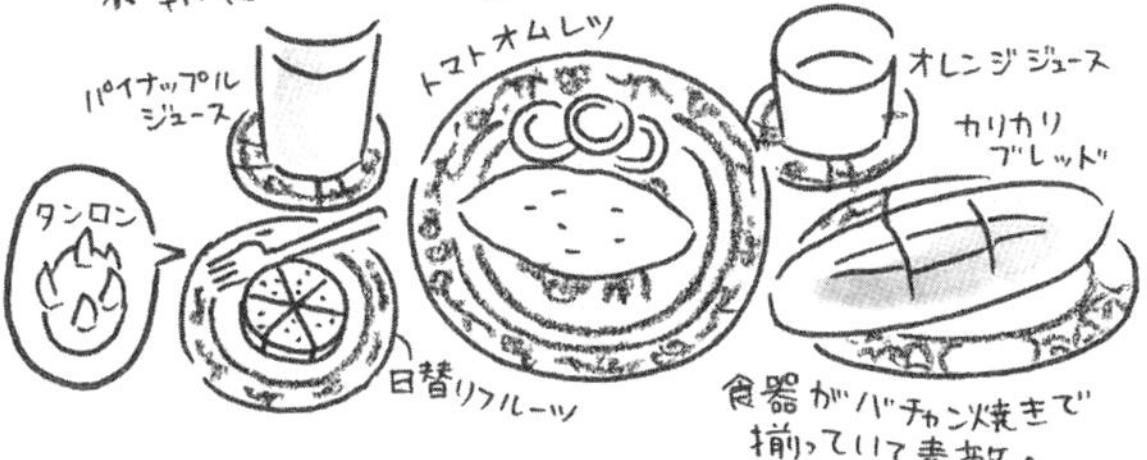
パイナップルジュース
トマトオムレツ
オレンジジュース
カリカリブレッド
タンロン
日替りフルーツ
食器がバチャン焼きで揃っていて素敵。

サイゴンの日本人

友達の紹介で、日系旅行会社の現地スタッフをしている井出《いで》さんと知り合うことができました。

ホーチミン滞在中は彼女の人脈のせいもあって住んでいる人、取材にやって来た人、何かと日本人と出会う機会が多くて、とても楽しい日々でした。

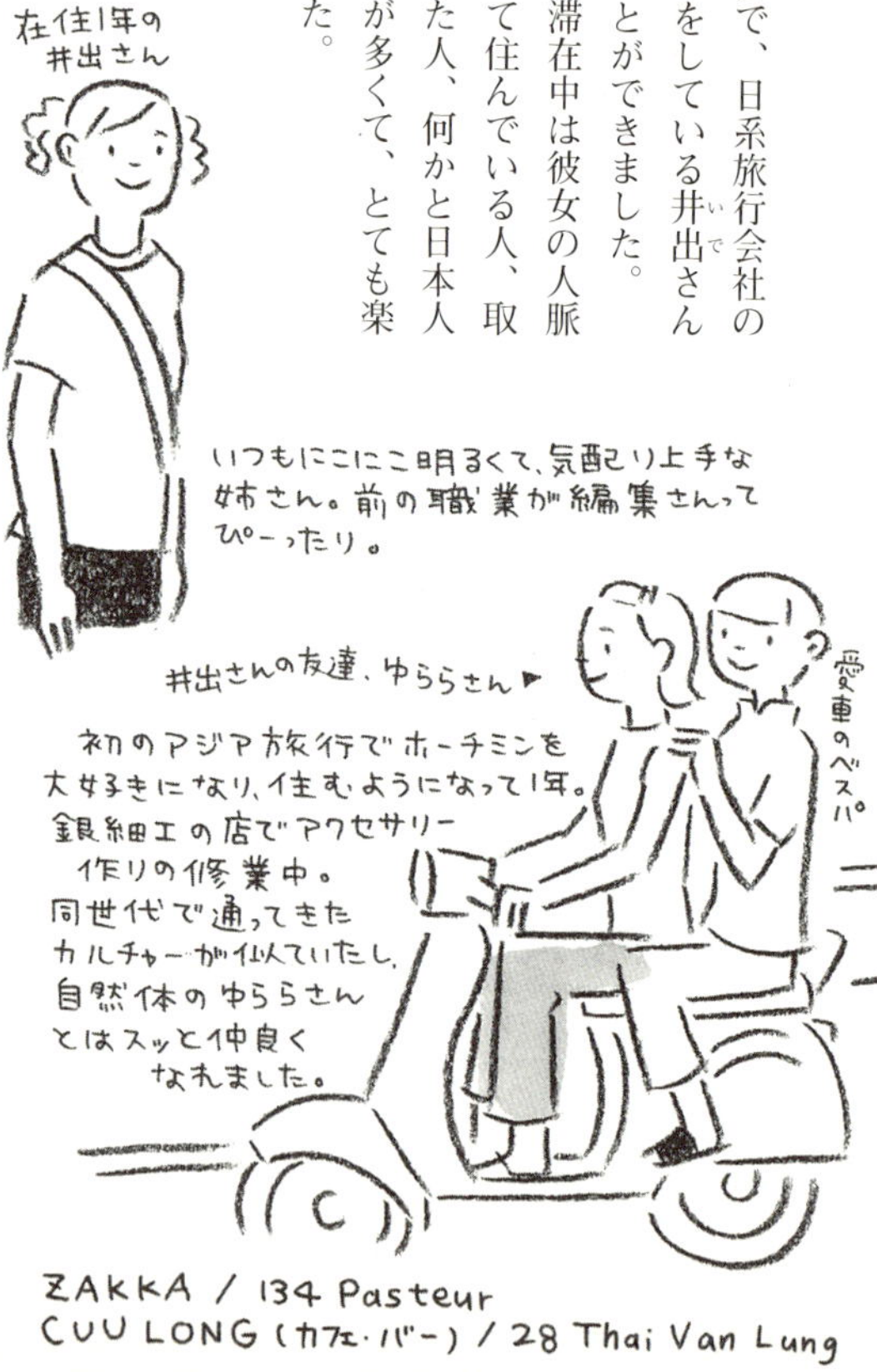
在住1年の井出さん
いつもにこにこ明るくて、気配り上手な姉さん。前の職業が編集さんってぴーったり。
井出さんの友達、ゆららさん▶
初のアジア旅行でホーチミンを大好きになり、住むようになって1年。銀細工の店でアクセサリー作りの修業中。同世代で通ってきたカルチャーが似ていたし、自然体のゆららさんとはスッと仲良くなれました。
愛車のベスパ
ZAKKA / 134 Pasteur
CUU LONG (カフェ・バー) / 28 Thai Van Lung

◀ゆらら＆井出さん行きつけの"クーロン"は日本人マスターのバー。サイゴン在住日本人のたまり場になっていてみんな顔みしり。

旅行中にお金がなくなって住みついちゃった店員の男の子、常連の建築家、いろーんな人が住んでいるんだなあ。

"ZAKKA"の若きオーナー、渡辺さん

センスのいいベトナム雑貨や服が並ぶZAKKAは、いつ行っても若い日本人女性でにぎわう超人気店。渡辺さんは7年前の旅行の際 ベトナム料理のうまさに感激して、毎日食べたい！と思って住み始めたのだそう。この後の ハプニング"で大変お世話になるはめに…。

1つ上とは思えぬ落ち着いたものごし

チョロン（中華街）の市場で知り合ったキクヨさんは在住半年。市場近くのお宅におじゃましてタ飯をごちそうになりました。ダンナさんはチョロン生まれの中国人で、留学中の日本で出会ったそう。

外の喧騒がうそのような、きれいでモダンなおうち。メイドさんもいる。

国営デパートに行こう

街の中心に建つ国営デパートは、薄暗くて古臭くて、いかにも社会主義っぽい雰囲気がたまらなく好きでした。

2年ぶりに足を踏み入れてビックリ、1階に〝ミニタックス〟なるきれいなスーパーができていました。あやしい化粧品屋、文具、洋服売場は消え、照明も明るくなっている。ちょっとショックを受けて中に進むと、建物の半分は昔のままでホッとしました。

すっかり観光化したベンタイン市場より安く、みやげ物屋がますます充実。商品もバラエティーに富んでいて、ベトナムみやげはここで全部揃ってしまうんじゃないかな。いくら安くても観光客向けの店ばかりだから、買い付けはしなかったけど、おみやげの物色《ぶっしょく》に毎日通いました。

THUONG XA TAX (デパート)
/135 Nguyen Hue

コンセプトが不明な、毒々しい色合いの乗り物は健在。

ダンベルをする女ドナルド…？

◀しかし造花で作られたドラえもん、などのわけのわからない商品がなくなっていてさみしかった。

'97年撮影

２階の衣料品売り場で▶ベトナム名物のロング手袋をゲット。ノースリーブメインのひろみちゃんは、ホイアンで名島さんに「肌、出しすぎですよ～」と言われて（カンボジアではそうみたい）以来気にしていたけど、これで安心。

THUONG
XA TAX
odak
うかれてポーズをキメる

ベトナム・ギャルのほうがよっぽど露出が激しいので（特にホーチミンは）、本当は全然大丈夫。

ANH
CHAM WEAVING

THUONG XA TAX
Kính Chào Quý Khách
WELCOME TO

ANHのショップカード　中央が吹き抜けになっている

デパート2階の階段カフェ。
いい感じで落ち着く。
ANH
片方の髪の
一束だけが
長い弟

2階に4店舗もある〝アン〟はサンダル、カゴ、少数民族の織物を使った小物など、ツボを押さえた品揃え。なかなかかわいいものが見つかります。店の兄弟と話しているうちに長居になり、階段の踊り場のカフェでコーヒーをごちそうになりました。

27才のお兄さんと、24才の弟。けったいな髪型で最初はスカして見えた弟は、真顔でボソッと冗談を言うおもしろい子だった。熱心に日本語を勉強中で、手帳を見せてもらったら〝ごうまん〟なんていう言葉まであった……。

✳買ったもの✳

今回の旅の思い出▶
に買ったベトナム人形。
あちこちで見るけど、
ここのはカゴ付きで
服の色、柄もいい。
1万7000d(129円)

バラの刺しゅうのスリッパは
ひろみさんが購入。

水牛の角の
パッチワークポシェット。前の日、
ある日本人男性が値段を聞いたら
11万d(833円)だったのに、私たちは
7万d(530円)で買えた。男には
厳しいのか? でもコレ、ハノイでは
2つで11万dで買えたよ。

刺しゅう屋

ANHと同じ2階にある刺しゅう
製品のお店もおすすめ。

店のおばさんは
通路でマニキュア中

サテン地

ヘタうま風なラブリー
巾着1万5000d(114円)

市場の中のチェー屋さんは、いろんな具がグラスに入ってズラーッと並んでいる。キレイ。

ベンタイン市場

今や観光市場の異名を取る、ホーチミン最大の中央市場。ここも国営デパート同様、床、天井がぴかぴかにきれいになっていました。井出さんによると'99年の夏、何日間か市場を閉めて大々的に改装工事が行なわれたんだって。

巨大な市場の中は衣料品、食器、サンダル、食堂、商品によって大体エリアが決まっています。迷路みたいに小さな店が入り組んで、ぐるぐる歩いているだけで楽しい。

市場のくせにどこよりも高い店があったりして、適正価格で買うには相当熟練の技が必要となります。だけどサンダルなど流行物を取り入れる早さ、品揃えはここにかなう店はないのよね。＊チープなチョロンのビンタイ市場（→P172）、国営デパートと、見比べて上手に使い分けたいところ。

＊高級みやげ店は除く。

CHO BEN THANH

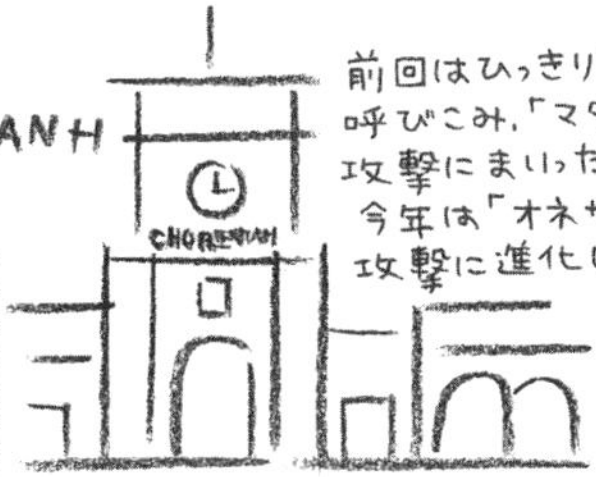

前回はひっきりなしの
呼びこみ「マダ〜ム」
攻撃にまいったが、
今年は「オネサ〜ン」
攻撃に進化していた。

体育館みたいな場内

カゴ屋さん

あんまりかわいいもの
は見つけられず。

食料品売り場

こんもり並んだ米の
ディスプレイがかわいい

2年前は小さな女の子の元気な客引きがたくさんいたのに、今回はほとんど見かけませんでした。観光化にともなって、客を店に連れていってマージンをもらう子供たちへの取締りも厳しくなったみたい。

前回、連日市場をうろついていた私たちに声をかけてきたチクサも、そんな客引きの男の子でした。恐ろしく日本語のうまい子で（学校で2ヵ月習っただけだって。毎日観光客を相手にしているうちにペラペラになったらしい）、ほかの子みたいにしつこく物を売り込むでもなく、気持ちよく市場の案内をしてくれました。

そのチクサと再会。今は14才、相変わらず細く小さな肩をしているけれど、少し大人っぽくなっていました。チクサとしゃべっているのを見ていたカゴ屋のおばさんに、

「あの子は悪い子。観光客に高いお金を払わせて稼いでいるのよ」

なんて言われました。つい最近もおねえちゃんと一緒に警察に捕まったんだって。ちゃんと学校には行ってるのかな。すごく頭が良さそうなのに……。

チクサ、客引きの女の子たち、街のガム売りの少年、最初は警戒したけど話してみるとみんな素直でおもしろい。でも中には本当にワルな子もいるので、悲しいけど気をつけなくてはならないのも事実です。

日本語の上手なたくましきミニ商人たち
当時12才のチクサは8〜9才に見えた。
コーヒーフィルター
コーヒー
コーヒー
せんす
利発な子で、子供たちのリーダーっぽかった。通り名はチョコン（ワンちゃん）。
ちょっとヤンキーっぽくなった14才。私たちの事はキレイさっぱり忘れていた…。
手に持っているのはコーヒー豆屋のカード。これを観光客に配る。
13才。かわいいのにどこかハスッパな感じ。
オネーサン ウソツキネ
後日会ったらこう言ってきた。ひろみちゃんも負けずに言い返していたけど…。
▼最初に言った値段の10倍でひろみちゃんにコーヒー豆を売りつけようとした女の子（私は別行動をしていた）。全身入れ墨の父のいる店に連れて行かれ、公安（警察）までやって来る大騒ぎになって、なんとか収まったらしい。

ベンタイン市場でお買い物

✤刺しゅうのクロス✤

テーブルクロス、ハンカチ、膨大な量の刺しゅう製品の中からお気に入りの絵柄を探すのは、大変で楽しい作業。

私は大判のテーブルクロスを買って、ベッドカバーにしています。ナプキンが6枚ついてくる。

可憐で細かい刺しゅう！

ナプキンはバラ売りもされていて、ハンカチとして使うとかわいい。

✤時計✤

買い付けとは関係なく、個人的に気に入ったもの。値切りまくって9万5000d（720円）になったのに、同じものが"サイゴン書店"（P204）では7万1000d（504円）だった…。

本屋にはヘンな色しかなかったからいいけどサ。

ちょっとドイツっぽい

✤サンダル✤

日本でも大人気のベトナム・サンダル。市場の中で本当にかわいいサンダルをメインに売っているのは中央通路沿いの店一軒だけ。

▼刺しゅうやビーズ、スパンコール、種類が多く、センスのいいものが並んでいます。

一番の人気店だけにどこよりも高い。たくさん買ってさんざん交渉しても、後から行った国営デパートのほうが安かった…。まだ全部支払っていなかったので詰め寄ったら、「デパートのサンダルは中が紙なのよ」なんてブツブツ言いながらも安くしてくれた。そんなの信用できない。デパートでも市場のは…って同じ事を言ってたもん。

色とりどりのサンダル。有名店のデザインをパクリまくり。

店は4人姉妹が取り仕切る。日本語が話せる妹は、しつこく値切ると遠い目をして黙り込む。

ベトナム人がこういうサンダルをはいてるの、見たことない。みんな厚底。

派手なものはあまり好きじゃないので、欲しくなったのはこれくらい。

刺しゅうサンダル
スパンコール付きの別珍ワンストラップシューズ。シンプルでかわいい。

おみやげ大作戦

チープでかわいい雑貨、小物の見つかるベトナムはおみやげの宝庫。安いだけにあれこれ人にあげたくなって、思いがけず荷物が増えてしまう。今回の旅のおみやげ代は14人分＋自分にもけっこう買って、1万5千円くらいでした。

食器

ほうろうのトレイ〈ハノイ・旧市街〉は1万d（76円）

かさばるし重いしで避けたい食器類も、カワイイものが多くてつい手が伸びる。

サンダル

最も喜ばれるのはやはりサンダル。その人をイメージして探すのが楽しい。

一番人気はチョロン・ビンタイ市場の木ゲタサンダル（P175）でした。甲の刺繍がポイント。

配りもの

多目に買っておいて、配れるものを用意しておくと便利です。

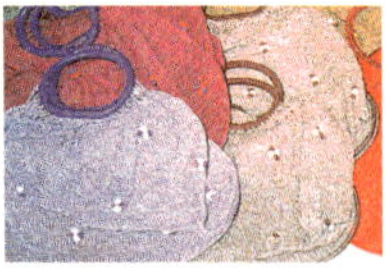

前回はこのバッグ

母が巻いたら本物になってしまった！

▲今年はターイ族のマフラー〈ホイアン・ELEGANT（P140）〉各2万d（151円）

服

オーダーメイドが安いので、２人とも母用に服をつくってもらいました。

ひろみ母のチャイナシャツ。パイピング部分は中国布。
〈ホイアン・ELEGANT〉
6ドル（636円）

これは既成品

前回祖母に別珍のジャケットを買って帰っても一度も着てもらえず、結局私のものに……。かわいいのにな。

〈ハノイ・ドンスアン市場〉

しょうもないもの

ダサいノートやヘタヘタまんがなど、嫌がられる１歩手前のオモロいものは本屋、スーパー、文具店で。

体はガンダム、頭はセクシー・ギャル！
〈ホーチミン・CO-OPマート〉

手彫りのハンコ 美少年バージョン

ミーシャなどのちゃんとかわいいのもある。〈ハノイ・旧市街〉
上・4万d（303円）
下・3万d（227円）

ニセ・セーラームーン シール
〈ハノイ・ドンスアン市場の文具店〉

男性軍

唯一困るのが父など大人の男性へのおみやげ。散々探して、結局ベトナムシルクのネクタイという無難なところに逃げてしまった。

〈ホーチミン・ZAKKA(P152)〉
若者ならいろいろ あります
7万d (530円)
ハノイはアーミーものが安い。〈ハノイ・旧市街〉
6ドル(636円)
素敵な柄なんだけどね。
甥っ子いっちゃん
5000d (38円)
4000d (30円)
◀粉もそえて、ベトナムコーヒーセット。〈ホーチミン・ビンタイ市場〉
3000d (23円)
おままごと好きの3才児には▲バチャン焼きのミニチュア・ティーセット〈ハノイ・ハンザ市場〉

おみやげ袋

安いカゴをたくさん買っておいて袋にする。バチャン村（P118）とZAKKA（P152）からアイデアをいただいたもの。

予想通り、よろこんでもらえました。
2000d (15円)
〈ハノイ・ハンザ市場〉
ZAKKAで買い物をするとかわいいカゴに入れてくれる。

ホーチミンのおみやげ店

おみやげが１番揃うホーチミン。雑誌のベトナム特集に載るような高級店にもいくつか行ってみましたが、あんまり興味ナシ。確かに洗練されているし、東京で買うよりは安いけど……。私にとっては、市場で宝探しみたいにかわいいものを見つけるほうが数倍楽しい。

これだけはすごく気に入って、刺しゅう製品の高級店"バオギー"で購入したひよこクロス。市場のは花柄ばかりで、こんな繊細なものはない。

86×84cmで17ドル

BAO NGHI /99 Dong Khoi

＊ テュエット ラン ＊

国営デパート横の仕立屋さん。狭い店内にかわいいスパンコールのスリッパが並ぶ。

感じのいい店の女の子がベトナム語を教えてくれました。

TUYET LAN / 135 Nguyen Hue

＊ マイ サイゴン ＊

ガイドブックに必ず載っているだけあって、お客は日本人ばっかり。市場よりずっとかわいいカゴがある。

MAY SAIGON
/83 Mac Thi Buoi

わらのミニカゴ

壁の色、丸い中国窓、古いバイク、何もかもが絵になる寺の中。

中華街チョロン・寺めぐり

街の中心からバスで15分、2キロ四方に広がるベトナムの中華街、チョロン。

チョロンの街には大小の中国寺が点在していて、2年前はいくつか歩いてまわりました(悲しいことに今年はそんな余裕なし)。

中でも偶然入った小さなお寺がすごくよかった。チョロンの賑《にぎ》やかでゴミだらけの通りからフッと門をくぐると、そこだけは違う空気が流れていて……。色使いは派手なのにちっとも下品じゃない。くすんだピンク色の空間と穏やかな光が気持ち良くて、座っているだけで相当なごみました。

ピンクの寺の名は不明。いくつかお散歩してみてください。

寺を管理する一家が昼寝をしていた

境内にあったランプ

どの寺も天井からうずまき線香が下がる

人も来なくて、長い時間座り込んでボーッとしてしまった。

かわいいアルコールランプ

ティエンハウ廟の赤門

1ヵ月燃え続けるそう

出歯のパン

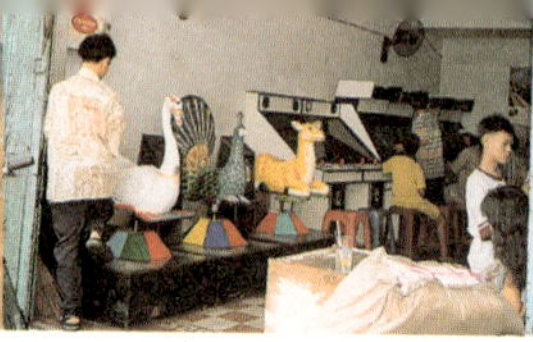

チョロンのゲーセン

路上のチェー屋

「チョロン」… なんてかわいい響きだろう。
大きい(=Lon) 市場(=Cho)
という意味。
ビンタイ市場横の
共同住宅は
築200年だって！

チョロンの街並み

中華街と言っても特別エキゾチックなわけではなく、漢字の看板が目立つぐらい。けれども古びた建物がゴミゴミと建ち並び、人々が忙しそうに行き交う混沌《こんとん》とした様は他の街とはやはりひと味違う。下町の空気が色濃く漂っていて、昔のサイゴンもこんな感じだったんじゃないかな。

2年前は路上生活者がとても多く、街はゴミだらけ。偶然かもしれないけど観光客も見当たりませんでした。今回市場周辺を歩いたぶんではそんなよどんだ感じはしなかったから、チョロンも変わったのかな。

チョロンで食べる

カニうどん
BANH CANH CUA

ゆららさんに連れて行ってもらったカニうどん屋さん。とろみのあるおいしい赤いスープ、つるつるした半透明の麺《めん》の中にカニのはさみがごろんと丸ごと入っている。

▲小ぶりのカニのハサミには身がぎっしり。1万5000d（114円）

LIEN THAI TRA GIA
/758 Tran Hung Dao

他にもバインセオ、カインチュアなどいろいろメニューあり。

黒胡麻のチェー
CHE ME DEN

ZAKKA 渡辺さんおすすめのおやつの店で食べた真っ黒なチェーは、胡麻《ごま》の風味が濃厚！　まったりとした甘さが病みつきになる味です。バインバオ（肉まん）もここのが1番おいしかった。

✳バインバオ✳

▲おいしいと評判だった"ニューラン"(P199)のより全然おいしい！

QUAN CHE HA KY / 138 Chau Van Liem

中庭の植木が龍型になっていた

チョロン・ビンタイ市場

売っている物や、ままごとみたいな小さい店が延々と続く雰囲気がおもしろくて、買い物をしていて1番楽しいお気に入りの市場です。買い付けのメインもここ。

ベンタイン市場より流行が遅れているぶん、かえって素朴でかわいい雑貨が見つかります。問屋店が多くてバラ売りしてくれない場合もありますが、価格はとても安い。

観光ずれしていないから、しつこい呼び込みもありません（その代わりほとんど英語は通じない）。一見無愛想でも実はやさしい人が多いのが印象的でした。

中央の中庭を取り囲むように回廊式になっていて、素敵な作り！

目がチカチカするお菓子屋さん

回廊から中庭の花々を望む

通路に積まれていた、文金高島田段ボール。

石川秀美のアイドル写真がパッケージになった化粧品など、あやしいものがいろいろ。

ド派手な包装紙

ニセ・マイメロのぬいぐるみ。バッタもんを見つけるのも楽しい！。

ビンタイ市場でお買い物

カゴ屋さん

市場の裏手にはバラック建てのカゴ屋地帯が広がっています。種類が豊富で安いので、カゴ類はビンタイで買うのがお得。

でっかー!
8000d
(61円)

荷物運搬用に巨大なカゴを買う。こんなサイズもあるんだ!。

・ビニールテープのカゴ・
1万2000d (91円)
中サイズ

色、サイズがたくさんある。荷物がいっぱい入るので、日本でも大活躍。

▼カゴ屋地帯には、こんなかわいい鍋つかみが!

フリースみたいな生地
きれいな色合い…。

✚ 木げたサンダル ✚

一番のヒットが1階のサンダル屋さん。メコンデルタのツアーで一緒だった大学生に教えてもらったお店です。木げたと甲の部分の素材、色が自由に選べる。

榊原郁恵似のかわいいおばさん。愛想のいいベトナム人NO.1！私らは勝手に"郁恵ちゃん"と呼んでいた。

QUOC KHANH/
SAP-156（看板の番号）

ゴム底を貼って、▶
甲を釘でとめて…
夫婦で共同作業。

うまく組み合わせられると、かなりのオシャレサンダルに！

お向いのお店もおすすめ。
ここは螺鈿細工の
木げたが充実しています。

化粧品

2階の回廊は化粧品、文具、タオル屋エリアです。
似たような品揃えの小さな店が並んで、いい物を探し出すのは根気のいる作業ですが、ひろみちゃんはパッと見つけ出すんだよなあ。集中力の違いかしら。

おしろい

古っぽい絵柄のパッケージの粉おしろい。

小鳥のコンパクト

ファンデーション。パフもかわいい!

手鏡

プラスチックのミニ鏡。間に新聞紙や地図がはさまっていて、それが何ともいい味。

王冠マーク入り

ラメ粉

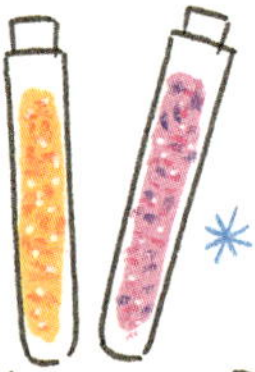

顔や髪につける様々な色のラメ

文具

ノートや定規、古っちい文具がいろいろ揃う。

素朴なエアメールの封筒をたくさん買い付けました。

✤タオル✤

昔懐かしい派手派手タオルは
10枚単位から。それでもメチャ安。

せまい店の床で、通路で、昼下がりの
市場はお昼寝タイム。
タオル屋の▶
おばちゃんも、商品を
毛布代わりに居眠り中。

✤食器✤

食器は1階。
1階の廊下に
ソンベー焼き(P119)の器を
売る店あり(ベンタイン市場にも少しあるけど、ちょっと高め)。

・ヤアオア(ヨーグルト)の容器・

バラ売りしてもらえず120個
まとめて買うことに。ピルケース
として、プレゼントボックスとして、
使い道はいろいろありそう。

・ソンベー茶碗・

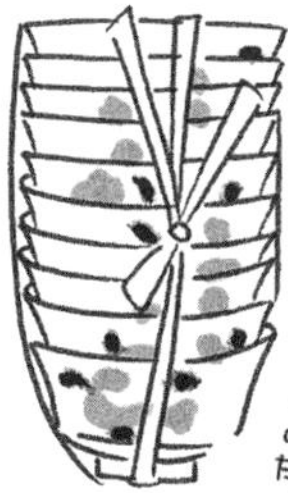

10個まとめて。形もいいのだ。

食堂エリア

※全体的に高めの値段。
ここだけはベンタイン並み？

お昼を食べたコム屋。
そんなにうまくなかったから
余計にくやしい…。

チェーは4000d（屋台ならこの半額）

1階の食堂街でボラれてしまいました。1人分のコムディア、生春巻き1本、ビール、リプトンティーで5万ドン（379円）だって？　高く見積もっても3万ドン（227円）くらいのはずでしょ、ってかなりがんばったけど4万ドンにしかならなかった。

ワルそうな中学生の娘が、紅茶がビールと同じ1万ドンだって頑《がん》として言い張るから……。側にいる父母は英語がしゃべれないからか、我関せずといった風。

別に大した値段じゃないし、まぁいいか、と思える時もある。でもこの子みたいに憎らしい態度を取られると、こっちもついむきになってしまうのです。フンだ。

食あたり騒動

ホーチミン2日目、ビンタイ市場。おみやげ用にポットを買い、ひろみちゃんの待つサンダル屋へ戻る……つもりが、迷いに迷ってしまった。やっとの思いでたどり着き、大汗をかいている私に郁恵ちゃんがお茶をくれました。

それは市場の人々が共同で飲む作り置きのお茶で、見るからにヤバそうな代物《しろもの》。ニコニコ笑っている郁恵ちゃんに悪くて、大丈夫だよね……とたかをくくって飲み干しました。冷たいお茶はすっごくおいしかった。

その後、市場で声をかけてくれたチョロン在住のキクヨさんのお宅へ。お茶を飲んで2時間ほどたった頃、なんだかキリキリお腹が痛くなってきました。夕飯をごちそうになっている間にもどんどん痛みは増してくる。トイレを借りた途端、本格的にヤバイ……という事に気づき、タクシーを呼んでもらいました。

ホテルに着くなりトイレに入りっぱなし。これが本物の下痢ってやつか。今までの人生で〝下痢〟と思っていたものはなんだったんだ……というほどヒドイもの。トイレからやっとの思いで這《は》い出ると、今度は貧血になってきました。

この騒動でZAKKAの渡辺さんとの約束をスッポかしてしまっていたので、寝ながら詫《わ》びの電話を入れました。事情を話すと、

「食あたりはなめると恐いから、病院に行ったほうがいいですよ。保険に入っていればお金もかからないし」

と言われました。そのうえ一緒に病院まで付き添ってくださるとのこと。その頃には猛烈な寒気が襲ってきて、毛布にくるまっていてもガタガタ震えるほどでした。

タクシーで中央郵便局そばの〝AEA　インターナショナル〟へ。ここは英語が通じる病院で、近代的なビルを見てまずはちょっとひと安心。しかし英語でしゃべるどころではなく、全部渡辺さんにベトナム語で病状を訳してもらいました。

診断は軽くない食あたり。脱水症状を起こしていたので、40分ほど点滴を受けることに……。初点滴だし今後のスケジュールの事も心配だし、不安でたまらなかった。

AEA INTERNATIONAL(病院)/
Hannam Bldg; No.65 Nguyen Du

翌日の朝食はスタッフの
不愛想くん特製のおかゆ。
ちょっとだけひき肉入り。
ちょうどいい塩かげんで
おいしかったな。
24歳。私服はちょっとチャラチャラしている
◀慣れてきてしゃべるようになると、ガタガタの前歯をニカーッと出して笑うのがかわいかった。

でも、おかしいくらいガタガタ震えていたのが、しばらくするとスーッと痛みとともに収まっていきました。点滴ってすごい!!　ひろみちゃんも病院に迎えに来てくれて、薬をもらって無事ホテルに帰れることに。次の日は1日安静にして、帰国するまで生ものを食べないように、とお医者さんから注意を受けました。

渡辺さんがいてくれてよかった……。旅行保険に入っていてよかった……。食中毒じゃなくてよかった……。体力を過信して危ない橋は渡らないほうがいい!と大反省。

翌日はベッドでおとなしく過ごし、その後もしばらくは早食いすると、ちょっとお腹が痛くなったりしました。

1999年の切手。ベトナムの干支には"猫年"があるのだ。

チョロン郵便局

ビンタイ市場の郁恵ちゃんの店でサンダルを注文した2日後、50足の出来上がり品を受け取りに行きました。

中央広場に連れて行かれ、そこで見たものは……でっかいダンボールが2つ。木げた50足ってこんなになるんだ、とビックリ。ひろみちゃんは顔面蒼白《そうはく》になっていました。

前回の失敗で郵便が高いのはわかっていたので、商品は自力で持ち帰るつもりだったのです。でも、こんなものとても無理！　その足でチョロン郵便局に向かうことに……。

梱包《こんぽう》してあるものをほどいて全部数え直したり、書類を何枚も書いて大変だったけど、思ったよりは高くなかった。何より局員さんがみんなものすごく優しくて、親身にいろいろ考えてくれて感激してしまいました。

BUU DIEN T.P.

◀前回、何も知らずにこの荷物を全部送ろうとした（スーツケースも丸ごと！）…。中身を確認して重さを量って、手続きを済ませた後で9万円かかるとわかり、スゴスゴとホテルに持ち帰ったのでした。

19世紀末に建てられた中央郵便局は、天井が高くて大迫力！

BUU DIEN CHO LON

◀今までベトナムの郵便局員って冷たい人ばかりだったから、余計にうれしかったな。

郵便局の女性職員は全員アオザイ姿

50足の木げたを前に、目が笑っていないひろみちゃん

荷物は2箱40kgを船便で送って、約109万d（8253円）。2カ月後に無事届きました。

ホーチミン交通事情

交通手段で1番好きな路線バスは、地元の人たちに混じって乗れるところがいい。買い付けで通《かよ》ったビンタイ市場に行くのに便利なのが、ベンタイン市場前のターミナルから出ているチョロン行きの路線です。終点が市場のまん前なので、なんの心配もなくゆったりとバスの旅が楽しめます。タクシーだと5万ドン（３７９円）ほどかかるのが、バスはたった３０００ドン（23円）で行けてしまう。

移動のメインは歩きとタクシー。ホーチミンのシクロは特に悪名が高く、面倒なのでチョロンで1回乗っただけ。ちょっと不安だったけどガッツのある誠実なシクロマンで、ボラずにきちんと行ってくれました。

食あたり騒動などでスケジュールがタイトになり、結局1番よく利用したのは手っ取り早いメータータクシーでした。手軽に利用できる安さで明朗会計なうえ、広いホーチミンを効率よく回るにはとても便利。シクロと反対にメータータクシーは増える一方らしく、街中で苦労せずに拾うことができました。

バス

「チョロン」って係員の人に言えば、どこから発車するのか教えてくれます。

行きがこんなバンだったことも。
これは2000d(15円)。窓は全開で、
排気ガスでノドをやられてしまいました。

こんだけ狭いと会話も生まれる

魚のような目でジーッと見るから、「なんだよー」
と思っていたら、よく笑うめっちゃいいおばちゃんだった。

大型バスはエアコン付きで、女性の
車掌さんがいる。乗り込んで待って
いれば、切符を売りに来てくれます。

チョロン・ビンタイ市場前
のバス乗り場にいた、
素敵な車掌さん。
ウーロン茶のCMに
出てきそうな清楚で
上品な子で、制服が
よく似合っていた。

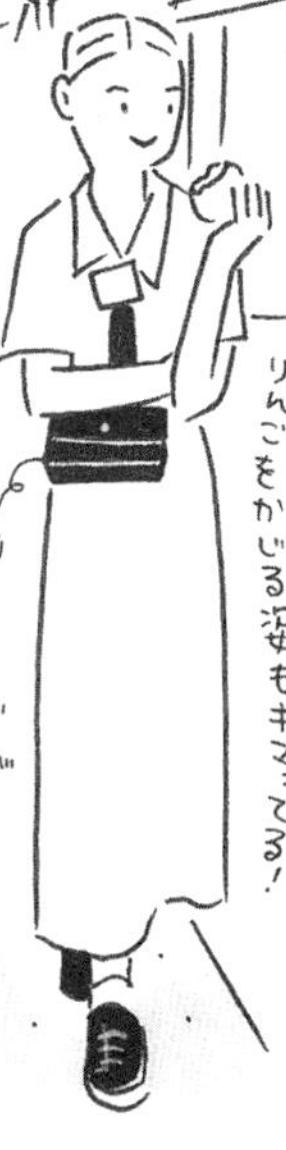

りんごをかじる姿もキマってる!

タクシー

メーター付きだから安心
だけど、行き先がよく
わかっていないのに適当に走り出す人が多い。
散々迷ったり変なところで降ろされたりって
事もありました。

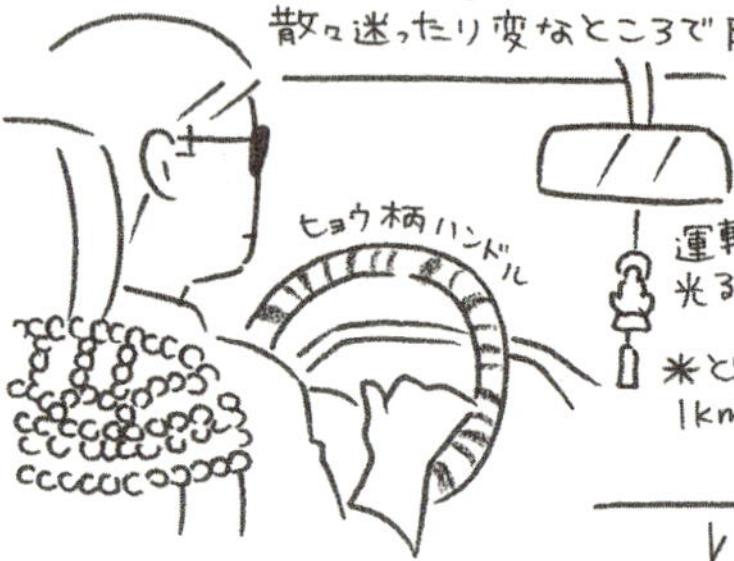

運転席まわりに個性が光る。ミラーにお守りをつけている人多し。

※どの会社も初乗り1km6000d(45円)。

白い車体のサイゴンタクシーは▶
ボロイ車が多く、スコールの時は
左右の窓から雨もりが…。

タクシーは100%安心かといえば、
降りる時メーターを指して「これは
1人分の値段だから倍払え」なんて
言ってきた不届き者もいました。「何言ってんの!?(日本語)」
と声を荒げたら、「OK OK」なんつってケロッとしてたけど。
あわよくば…って感じなのね。

バイク

バイク天国、ホーチミン。
バイクの数は間違いなく
ベトナム第一位でしょう。
交差点で信号待ちしている様は、マラソンの
スタート地点みたい。

夕方の渋滞。
ものすごい数で、なんかコワイ。

ボーッと待っていたら
永遠に渡れない大通り。
渡り出しちゃえば みんな
勝手によけてくれる…
けどやっぱり恐い！

女子高生もおじさんも、
みんなバイク。

太ったオバチャンが颯爽と
乗り回す姿って
カッコイイ。

昔の族みたいな人も…

曲芸のような3、4人
乗りを見かけます。
一番前の子、気持ち
いいだろうなー。

スコールの中でも
めげずに走る人々

スコール!!

10月半ばのホーチミンはまだ雨期が終わっていないらしく、ほぼ毎日1回スコールがありました。バケツの水をひっくり返したようなどしゃ降りが、1時間ほど続きます。

タクシーの中から、雨宿りのカフェから、スコールの風景を見るのはとても楽しい。激しい雨の中でもカッパを二《に》人《にん》羽《ば》織《おり》のようにかぶって走るバイク。笑いながらずぶ濡れになって通りを走る男の子たち。ぼんやり軒先で雨宿りをする露店商のおばちゃん。もし私がカメラマンだったら絶対いい写真が取れそうな、絵になる光景があちこちで見られるのです。

スコールの最中って小さいころの台風の時と似たような、なんだかワクワクと高揚した気持ちになってしまう。

※南部の雨季は5月下旬〜10月

シクロも幌を出して営業中

ビンタイ市場を出ようとしたら、ちょうどスコールが降ってきました。するとどこからともなく、すごい早業で雨ガッパ売りの少年が登場。

薄ーいてろてろのカッパなのにけっこう売れていた。
ホットパンツのグラマーなお姉さん
バイクの後ろにまたがって、キップよく雨の中を出て行った。カッコよかったなぁ。

私たちは市場の入口の階段に座って、スコールがやむまで外の風景を眺めていました。

動・植物園の芝生には、毒々しいキノコのオブジェが…。

小さな遊園地

古くてへぼいミニ遊園地好きの私たち。

前回訪れた動・植物園は、緑いっぱいの広い園内にカフェや動物園、遊園地などがあります。動物園といっても何やら工事中で象が数頭いただけだし、遊園地の遊具は止まったまま。どうやらベトナムのミニ遊園地は、夕方と週末だけの営業のよう。それでも気持ちのいい園内をお散歩するだけで、充分楽しめました。

今年は夜の市民文化公園へ。小さな電球の明かりだけの暗い園内は、平日だからか人もまばらでさみしい感じ。でもかえって堂々と遊具で遊べたからよかったかな。

気になるのは人気のアミューズメントパーク、ダムセン公園。近代的すぎないか心配だけど、次こそ遊びに行くぞ！

THAO CAM VIEN（動・植物園）
/2 Nguyen Binh khiem

素朴な遊具たち

Photo/Kayo Sugesawa

動・植物園

"動"植物園って言うからには、
まさか象だけじゃないよねェ…。

※入園料は
1万d(76円)

赤で統一されたかわいい
カフェ。落ち着きます。

遊具はどれも古くて
かわいい!
乗ってみたかったよ…。

ヘタウマ・メリーゴーランド　　遊具についた電球の光がキレイ。

市民文化公園

タクシーの運ちゃんに変なところで降ろされて、目茶苦茶迷ってフラフラになってたどり着いたところは、薄暗くひと気のない公園だった。ほとんど貸し切りの遊具に乗って、ひたすらぐるぐる回りまくる不思議な時間を過ごしました。

サービス精神旺盛?な係員のおじさん。

クールな親子

▲上下に移動しながらただ回るだけ、の円盤型アトラクション。笑っちゃうくらい時間が長い。

入園は無料、
乗り物は1回
2000d(15円)

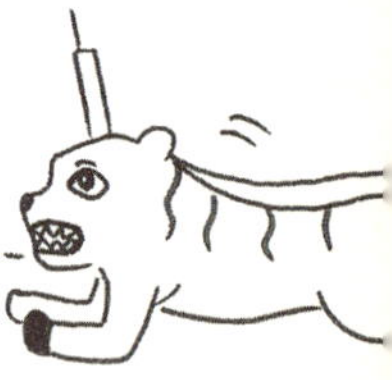

CONG VIEN VAN HOA(市民文化公園)
/ Cach Mang Thang Tam St.(8月革命通り)沿い

メリーゴーランドも長い！
長すぎる!! 気持ち悪くなって
きたので、腰をあげて終わりの
催促をしてしまった。あんなの
幼児が乗ったら吐いちゃうよ。

受話器を手に
ピースするネズミ。
ヘンなメリーゴーランド。

動・植物園でもここでも
楽しみなのが、看板や
遊具に描かれた 味わい深い
ニセ・キャラ イラストの鑑賞。

ペプシの広告

角刈りジャイアン、鳥スネ夫、
ニセしずか。

ゆららさん行きつけの古本屋
＋オープンカフェ。いつも地元の人で
混んでいる。賑やかな場所だけど、
大きな木があって気持ちいい。
ここのアイスクリームはおいしい！
BO GIA CAFE
ボーザカフェ

ホーチミンのカフェ

普段は何して遊んでるの？　とゆららさんに聞いたら、

「娯楽が少ないから、カフェでおしゃべりするくらいだよ。だからベトナムでできた友達とは、すぐに密度が濃くなるんだ」

と答えが返ってきました。

ベトナムではおしゃべりが娯楽かぁ。たしかにベトナム人っておしゃべり好きだし、いたるところにカフェがあるもんね。

この街は外国人向けのおしゃれカフェも多いけど、やっぱり私はどこかやぼったさの残る、ベトナム風味のカフェが好きです。

BO GIA CAFE / 20 Ho Huan Nghiep

CHI LANG CAFE
チランカフェ

昼間のチランカフェ

前回の旅ですごく気に入ったチラン公園のカフェ。芝生の間にイスが並ぶ夕方からがいい。

照明がほとんどなくて、目の前のドンコイ通りを走るバイクの光がきれい。

CHI LANG CAFE / Chi Lang Park, Dong khoi

BACH DANG
バクダン

街の中にいくつかあるアイスクリーム屋"バクダン"の中でも、一番古っぽくてかわいいのがレロイ通り沿いの店。

名物ココナッツアイス

3万8000d(233円)。ボーザカフェの方が安くておいしい。

BACH DANG / 26-28 Le Loi

ホーチミンで食べる

中心部で目立つのは観光客向けの店ばかりで、おいしい庶民の味を見つけるのはなかなかむずかしかった。結局友達の情報やガイドブックにお世話になりました。

ブイチスアン
BUI THI XUAN

地元で大人気のおこわ&デザートの店。おこわがおいしくて2日連続で通いました。両日ともさまざまな客層で大繁盛。

＊ ソイ (おこわ) ＊
XOI

青菜の炒めもの、タマネギのフライ、ハム、自分で選べる具によってだいぶ味が変わる。

やわらかくて香ばしい鳥もも肉の丸焼きがおすすめ。1万d (78円)

鳥肉をのせないと3500d (27円)

女子高生のグループが楽しそうにおいしそうに食べていた。

＊ チェー ＊
CHE

あずき入りがうれしいチェーは、具が3種類だけのシンプルさ。

2000d (15円)

上に氷がのったバインフラン(プリン)もおいしいよ。2000d (15円)

BANH FLAN

BUI THI XUAN (甘味処) / 111 Bui Thi Xuan

キムタイン
KIM THANH

農場直営の牛乳＆デザート屋さん。ヤァオア（ヨーグルト）もバインフランもここのが１番おいしかった！

◀"学校近くのパン屋"っぽい風情。人気店なのに素っ気ない造りなのがいいな。

シャキシャキ かっこいい 店の女主人

大人気のヤァオアは、アイスボックスにぎっしり。

YAOURT 1500d (11円)

食べ終わった後ネーム入りの容器をもらって帰りました。

牛乳の容器もカワイイ

2500d (19円)

BANH FLAN

やっぱり牛乳が違うのかなー。
2500d (19円)

見た目のキレイさにつられて食べた4色ゼリー。固すぎてイマイチ。

KIM THANH (牛乳店) / 4 Le Van Huu

フースアン
PHU XUAN

井出＆ゆららさんに連れていってもらった高級フェ料理屋さん。ベトナム最後の王朝があった、古都フェの上品な味を楽しみました。モチモチしたものが多くて、食あたり上がりのお腹にはちょっと重かった。

CHA GIO RE
4万5000d（341円）

BANH BEO
1皿2万d（151円）

BANH BOT LOC

左・チャーゾー／香ばしいフェ宮廷料理風の揚げ春巻きを生野菜で巻く。
中・バインベオ／エビなどがのったぷるぷるの米粉の皮を、小皿からはがして。
右・バインボッロック／半透明のもっちりした皮の中にはエビが入っている。

おめかし代わりに（？）
ホイアンで作った
アオザイシャツを
着ていきました。

うれしはずかし、浮かれ
気分丸出しの日本人
観光客2人。

PHU XUAN
（フェ料理）
/128 Dinh Tien
Hoang, Dakao

フーティウ
HU TIEU

フーティウはうずら卵、レバー、エビなど具がたくさん入った南部の麺料理。豚骨スープにライムをたっぷりしぼると、さっぱりおいしい。

店先でフーティウの乾麺をゆでる。

▲"LIEN HUA"
(381 Vo Van Tan)
ボーバンタン通りには
何軒かフーティウの店が固まっています。

ベトナムのレバーは臭みがなくてうまいのだ
1万7000d
(129円)
もやしと香草をどっさり入れる

ニューラン
NHU LAN

パンとお総《そう》菜《ざい》のテイクアウトの店。品数豊富でなかなかおいしかったけど、人気店だけに店の雰囲気はちょっといい気になってる感じ？

スパイシーなバゲットサンド
多分9000d(68円)。
6000d(45円)
具がぎっしりつまったバインバオ。
中のうずら卵はあげ衣つき。
3000d
(23円)
ゼリーはやっぱり…
固い。

NHU LAN(お総菜)/ 66-68 Ham Nghi

路上のグルメ

ホーチミンではあまり屋台を利用しなかったけど、市場周辺や、朝と夕方は中心街にもポツポツと屋台が出ます。

バインミーティット

BANH MI THIT

初日の夜ごはんは屋台のバインミー。バゲットにハムやレバーペースト、コリアンダーをはさみ、最後にヌックマムをかけるという不思議なサンドイッチ。おいしくてお腹いっぱいになる。

ファングーラオ通り近くの路地にて。
ファングーラオ周辺は屋台が多い。
小学生の息子くんが母のお手伝い!

ひき肉ダンゴ、野菜の酢漬け、トマト、キュウリ、コリアンダー。
3000d(25円)

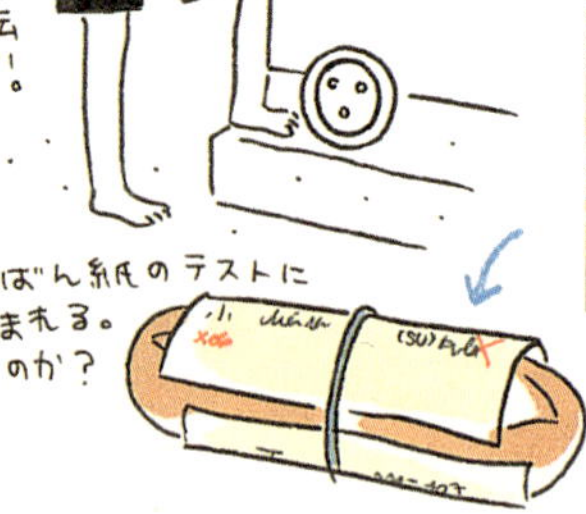

わらばん紙のテストにくるまれる。息子のか?

チェー

CHE

毎日国営デパートの前で店を出しているチェー屋さん。この旅で食べたチェーの中で1番おいしかった。

豆
甘い寒天
透明の白玉
抹茶ゼリーとつぶつぶバジルの種
まっ黒なゼリー

寒天とゼリーと白玉メインのチェーなんて初めて。プルプルともちもち、なんともしあわせな感触!
2000d(15円)

色合いもキレイ

チェーを「大好き!」と言い切れなかったのは、ちょっと苦手なココナッツミルクと緑豆のペーストが必ず入っているから。だからここのは大大大好き!

グエンフエ通り沿いの入口、カメラ売り場の前。

アイスクリーム

KEM

チョコシロップ
1000d(8円)

ドンコイ通りにいたアイス屋さん。子供たちにつられて買ってしまった。おいしそうなのにピンク色の部分が粉薬の味だった……。

コーンはおいしい。中までぎっしり。

着いた日には'99年の干支、猫のネオンが正面についていて一層素敵だった。2週間後にホーチミンに帰ってくるとなくなっていてガッカリ。

レックスホテルの夕べ

ホーチミンのど真ん中にそびえ立つ〝レックス〟は老舗《しにせ》の国営ホテル。

夜になると屋上の大きな王冠がライトアップされ、ネオンがチカチカと派手に光り輝く夜のホーチミンの顔です。

おすすめなのが屋上のガーデンレストラン&バー。ラタンの提灯《ちょうちん》、白いアイアンのテーブルセット、豆電球のライトアップ……ゴージャスで古っぽいスタイルが何ともかわいくて、まるで昔のビアガーデンみたい。

※オリジナルの王冠マーク入り食器は1階のショップで買えます。

REX (ホテル) / 141 Nguyen Hue

夕方になるとホテル前▶のロータリーにはたくさんの風船売りが出て、何ともカラフルで素敵な光景。

折り紙がついた手作り風船 2000d（15円）

✤ガーデンレストラン✤

あいにく小雨が降っていて、夜空の下でビールを飲む夢はかなわず。屋根のあるバースペースでジュースを飲みました。

果物型のランプが下がる

アイアンのイスの背にも王冠！

シントー（フルーツシェイク）2万2000d（167円）

巨大王冠の裏はこんな

入口はバイクがズラリと並び、店内はいつも混雑している。

サイゴン書店

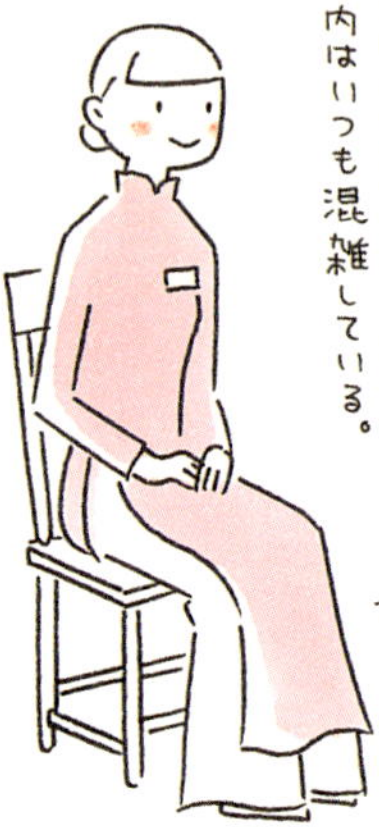

大型書店の女性店員はアオザイ姿。店員さんがやけに多い。

本屋大好き

ホーチミンの大好きスポット、大型書店。中でもお気に入りはサイゴン書店とスアントゥー書店、他の街にはこんなに充実した品揃えの本屋はありません。

2軒とも絵本や漫画、子供の教科書などかわいくておもしろい本がたくさん見つかる上に、文具コーナーもあってあきることなく通いつめました。

食あたりの翌日も夜の外出がたたってぐったりしていたのに、本屋に行ったとたん夢中で本探しが始まって、がぜん元気が出てくるのでした。

NHA SACH SAI GON（サイゴン書店）/60 Le Loi
NHA SACH XUAN THU（スアントゥー書店）/185 Dong khoi

家庭科

音楽

道徳

✳ 教科書 ✳

子供の教科書にはイラストがふんだんに使われて、絵本みたい。種類もたくさんあって教科書コーナーが1番長くなる。

書き方 6000d (45円)

国語 2300d (17円)

音楽 1900d (14円)

✳ 絵本 ✳

道徳を教えるミニ本や超ヘタうまの絵本たち。

3万1000d
(235円)

中国製、邪悪な顔のにせムーミン。

にせスナフキン

こわい絵！

左と同じシリーズのミニ絵本。いい絵だなぁ。

同人誌のパクリ？　ケーキの図案集　ヒドイ…ヒドすぎる

ドラえもんやドラゴンボールに混じって、とんでもない絵のベトナム漫画があっておもしろい。

＊漫画＊

ものっすごい下手な漫画（右上）4000đ（30円）

作者の写真付き。ベトナムの藤子不二雄？

＊ケーキの本＊

派手で毒々しいケーキが満載。4万đ（303円）

＊オタクノート＊

本屋での大ヒット。テクノカットに変なセーラー服の女学生たちのイラストが何パターンかページごとに構成された、イカしたノート。

オタクノートは何種かあって、6500đ（49円）。

✳ノート✳

文具コーナーで昔チックなノートをドーンと買いつけました。ベトナムはかわいいノートの宝庫。

看板も袋もバンビ♡

バンビ印のノート

書店にはないけど、"VINH TIEN"というメーカーのバンビノートの大ファンです。

ドンコイ通りにできたショッピングプラザの中に専門店があります。バンビノートの表紙より、変に今っぽいCGイラストがメインになりつつあってショック…。

ハノイ・ドンスアン市場

レロイ通りの文具地帯、チョロンの名もない小さな文具屋や地方のほうが昔のバンビノートが出回っているみたい。

1ℓと2ℓ入りがある
自家醸造の生ビール、ビアホイはポリタンク入り。

ビアホイで乾杯！

〝ビアホイ〟はポリ容器に入ったベトナムの安ーい生ビールのこと。また、ビアホイの飲める安酒場のこと。見事なまでにおっさんオンリーの社交場に足を踏み入れるのは少々はばかられ、私にとってはあこがれの場所でした。

いよいよ帰国の夜、そんなビアホイがいくつか軒《のき》を連ねる＊チーサック通りで、1軒の店に思い切って入ってみることにしました。

やはり若い女など1人もいなくてドキドキしたけど、酒の入った陽気なおっさんたちはとても愉快。あちこちから「写真を撮ってくれー」だの乾杯を求められ、はしを落とせばすぐに従業員の人に言ってくれて……私たちはすっかりモテモテ？　で、目茶苦茶楽しかったなぁ。

DAI LY BIA HOI（ビアホイ）/ 4 Thi Sach

＊ハイバーチュン通りをはさんで、ドンコイ通りと平行の道。

みなぎるおっさんパワー

噂通り、味はかなり薄い。でも嫌な薄さではなく、私は飲みやすくておいしかった。店によって味はだいぶ変わるみたい。

店内は古くて広く、天井が高い。

ここは料理がものっすごくおいしかった！毎日でも通いたいくらい…。でもビアホイ1ℓ、コーラ、料理3品で8万d(606円)って、ちょっとボラれたかも。

RAU MUONG XAO THIT BO
牛肉と青菜の炒めもの。ちょうどいい塩かげん！

DAU HU
カリカリのトーフの揚げもの

GA ROTI
柔らか〜い鳥肉

午後6時のビアホイはほぼ満席。おじさんたちは夢中でおしゃべりをしている。

目が合うとウィンクしてくるおやじ

◀おじさんたちは薄いビアホイにさらに氷を入れる。

私もベトナムで、ビールに氷を入れるのが好きになっちゃった。

ホイアンで歌謡ショーの中継をテレビで見て、そのダンスがあまりにも最高だった。ぜひこんなショーが観たかったんだよなあ。
軍服みたいなのを着た男性ダンサーがドラマチックに群舞する。
ぴょーん

ミニ歌謡ショーを観にゆく

歌にダンスにコント、ファッションショーがいっぺんに楽しめるという〝歌謡ショー〟。毎週末にいくつかの劇場で開かれるこのイベントは、ホーチミンっ子に大人気の娯楽らしく、どこも大盛況なんだって。

私たちは滞在がちょうど週末に引っかからないので、平日も開催されているチョンドン野外劇場に出かけてみました。

ここはファッションショーはなしで歌とコントがメイン、女の子のユルい集団ダンスがちょっぴり。入場料が安いし屋外だから、家族連れ中心ののんきなムードでした。

RAP TRONG DONG（チョンドン野外劇場）
/ Cach Mang Thang Tam通りとNguyen Du通りの交差した角
（8月革命通り）

テントの屋根がある
野外劇場。月曜
以外毎日ショーが
開かれている。

1人1万5000d(114円)

コントはもちろん言葉が▶
わからないので、ハゲネタ
やってるんだな、などぼんやり
内容がわかるくらい。
いちいち大きなリアクション
でバカウケするベトナム人
を見るのが楽しかった。

✤歌は1人2、3曲で、出演者がどんどん変わる。
みんな熱唱系で歌がうまい!コントの中で
芸人さんが歌うのですらレベルが高くてびっくり。

ムード歌謡中心の
中で、ウド鈴木似人の
ロック野郎が登場!
ドライアイス
肩を抱くチャンスを狙う
デート中の男子
みんなすごく楽しそう。コントの時は
おじさんも姉さんも心底おもしろそう
に体全体で笑う。

タンダの犬は昼間は暑さでぐったり
おとなしいのに、夜になると群れをなして
吠えまくる。マジでこわい。

タンダの田舎道

2年前の旅はホーチミン郊外の町、タンダからスタートしました。ガイドブックに載っていたホテルに心惹かれて訪れたのですが、静かですごく素敵なところ。

町といっても狭い道が1本走っているだけで、道の両脇にはバナナやヤシの木が生い茂り、小さな民家と田園が続きます。中心街から車で30分ぐらいなのが信じられないような田舎の風景が広がっている。

空港周辺で持ったベトナムへの恐怖心は、ここですっかり溶け切ったのでした。ホーチミンだけの滞在の人には特におすすめ！

BINH QUOI TOURIST VILLAGE（ホテル）
／1147 Xo Viet Nghe Tinh Dist Binh Thanh

田舎の家はかわいい
THANH DA

朝の10時くらいの散歩は、ちょうど小学生の下校タイムでした。小学校は2〜3部制なんだって。

＊ビンクォイ ツーリストヴィレッジ＊

サイゴン川に浮かぶバンガローホテル。清潔で設備もばっちりなのに2人で25万d(1893円)。

夜になると空き缶ランプが灯る橋▶

広い敷地内は公園になっていて、デートするカップルの姿もチラホラ。フローティングレストランが素敵。

ハノイのホテルでは、ハカリを借りて荷物の重さをちまちまチェック。なんとか預け荷物が制限の一人20kgまで、を越えないように知恵を絞る。

梱包《こんぽう》の話

　買い付けが始まってからというもの、荷物の運搬は常に悩みの種。ハノイで一気に増えて、ホイアンへ飛んだ時点ですでに重量制限をオーバーしていました（国内線は甘いらしく、別料金を取られなかった）。

　ホーチミンで荷物が倍になって、帰国前日の梱包《こんぽう》はそれはもう大変な作業。持参した梱包材で割れ物を包んで、重量オーバーの別料金を少しでも押さえるため、トランクに詰める配分を考えて……。私はお手伝いしただけだけど、ひろみちゃんは夜通してんてこまいでした。

◀帰国前夜の部屋は
荷物の海

時折、梱包が間に
合わなかったらどうしよう?!
とひろみちゃんが踊り狂う。
コワイよ〜!
四方をぬいぐるみと
服で固め、思い
切って食器も
トランクの中へ。
(大丈夫でした)
食器、ノート、重いものはすべて
手荷物に。こんなの持てるかっっ
という究極の重さで、吐きそう。
関空はカートを使えない
距離が長くて地獄…。
預け荷物は
トランク3コ、カゴ2コ。

COLUMN 9

旅の言葉

どこから来たの?と聞かれたら…
ニャバ〜ン Nhật bản <日本>

22日間の旅で覚えたベトナム語は、ほんのあいさつ程度の言葉だけ。こんなものでもなるべく使うようにすると、会話が生まれやすくなりました。

あいさつ

おはよう こんにちは	シン チャオ Xin chào
はい/いいえ	(北)ヴァン Vâng (南)ヤー Dạ / ホン không
ありがとう	カム オン Cám ơn
またね	ヘン ガップ ライ Hẹn gặp lại
さよなら	タン ビエット Tạm biệt
すみません	シン ローイ xin lỗi

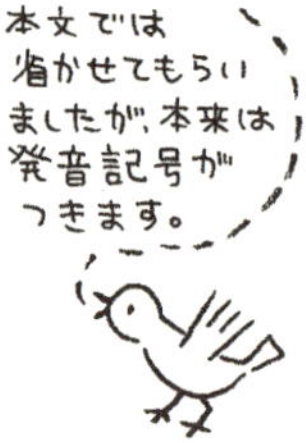
本文では省かせてもらいましたが、本来は発音記号がつきます。

レストランで

おいしい/おいしかった	ゴーン/(北)ラット ゴーン (南)ゴン クァ Ngon Rất ngon Ngon qúa
氷、アイス	ダー Đá
ください	チョー トイ Cho tôi
お勘定	ティン ティエン Tinh tiền

モッ チャ※ ダー、モッ "バーバーバー"
<冷たいお茶1つと"333"(ビールの銘柄)1つ>

※お茶は「チャ tra」、紅茶は「リプトンティー」、コーヒーは「カフェ Cà-phê」

買い物

いくら？	バオ ニュウ？ Bao nhiêu?
高い！	ダッ ワワ！ Đắt quá! …と言うと 必ずこう返ってくる
レシートください	チョー トイ ホアドゥン Cho tôi hóa đơn

ホンダッ！
Không đắt!
〈高くない〉

発音がむずかしいけど、くり返せば通じる

数

1	モッ một	6	サウ sáu
2	ハイ hai	7	バーイ bảy
3	バー ba	8	タム tám
4	ボン bốn	9	チン chín
5	ナム năm	10	ムオイ mười

この程度ならカタカナ読みでも通じるけど、本来ベトナム語には6つの声調と11の母音があって、発音がものすごく難しい。
北と南では違う単語が多く、発音もかなり違うみたい。聞いているとホーチミンはちょっとベタベタしたしゃべり方で、ハノイのほうが上品な感じ（首都ハノイの発音が標準語）。年中夏のホーチミンと、一応四季のあるハノイじゃ、気質も全然違うだろうしね。個人的にホーチミンは大阪人、ハノイは京都人のイメージ。

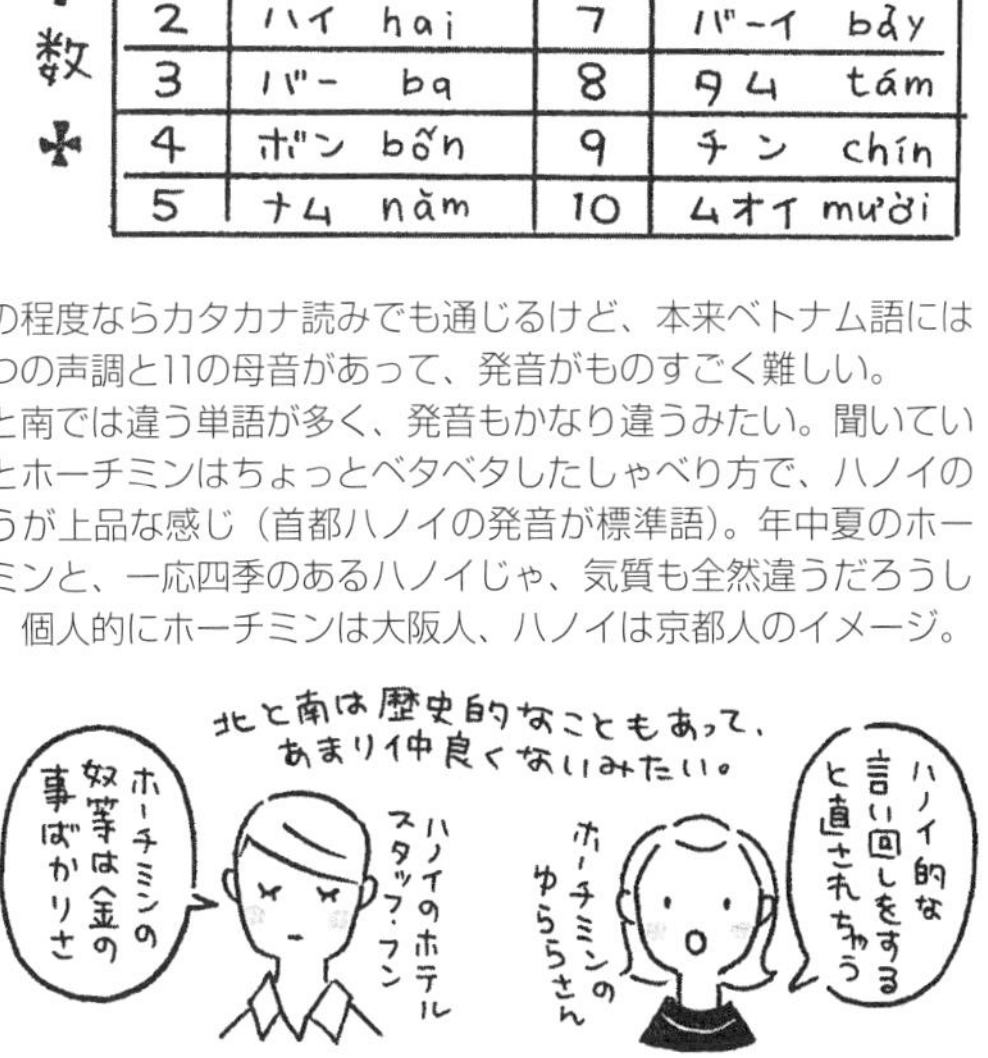
北と南は歴史的なこともあって、あまり仲良くないみたい。
ホーチミンの奴等は金の事ばかりさ
ハノイのホテルスタッフ・フン
ホーチミンのゆららさん
ハノイ的な言い回しをすると直されちゃう

あとがき

ベトナムの何がこんなに好きなんだろう。

大部分の人の屈託のないやさしさ。食べ物のうまさ。変わらない路地裏の風景。お年寄りも子供もあらゆる世代が一緒くたに暮らしている通り。抜け目ないパワフルな商売人たち。やぼったくてかわいい雑貨。

細かい要素はいろいろあるけど、きっとその全部が一緒になったベトナム独特の空気が好きなんだと思う。うるさいシクロだって、体にまとわりつく熱気だって、生ゴミ臭いにおいだって全部引っくるめての、空気。

ベトナムという国をほんのちょっぴり覗き見ただけのこの旅の話で、私の大好きな街の空気が、少しでも伝わるといいのだけれど。

ピース・イン・ツアー（旅行会社）/ ☎03-3207-3690
東京都新宿区高田馬場1-25-32 108ビル4F

SPECIAL THANKS TO

秋山ゆららさん、井出純子さん、岩崎央巳さん、
因泥沢子さん、大島幸子さん、加藤大さん、
黒須千鶴さん、小松理恵さん、菅沢佳代さん、
綱川晶子さん、永堀アツオさん、渡辺康孝さん、
ベトナムで会ったみなさん、ピースインツアーの
鈴木さん、装丁のこやまたかこさん、
祥伝社編集部のみなさん、私の家族、
そしてここまで読んでくださったあなた。

たくさんの方々にお世話になって
旅を、本を作ることができました。
心から ありがとう!

ごはんページでは思い出し思い出し、
生つばを飲みながらの執筆。
本物のベトナム料理が食べたーい!

WC'WD

かわいいもの探しの天才・ひろみちゃんの、オープン２周年を迎えた雑貨屋さん。小さな店内には今回買い付けてきたベトナム雑貨の他に、ギリシャ、アイルランドなど旅行先で見つけてきた外国の小物、手作り雑貨、洋書、オーナーのセンスで揃えた雑貨たちが所狭しと並んでいます。

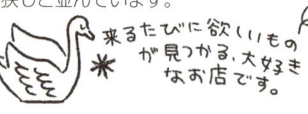

来るたびに欲しいものが見つかる、大好きなお店です。

ベトナム雑貨

お茶セット（ポットカバー、ポット、カップ5つ）4800円

左から
刺しゅうスリッパ 4800円
バスケット(左) 800円
ペッパーミル 800円
バスケット(右) 1600円

ガーゼスタイ 1200円（左上も）

WC' WD

ダブルシー ダブルディー

東京都杉並区南高円寺3-59-13
TEL・FAX　03-3316-6766
14:00〜22:00　　水・木曜定休

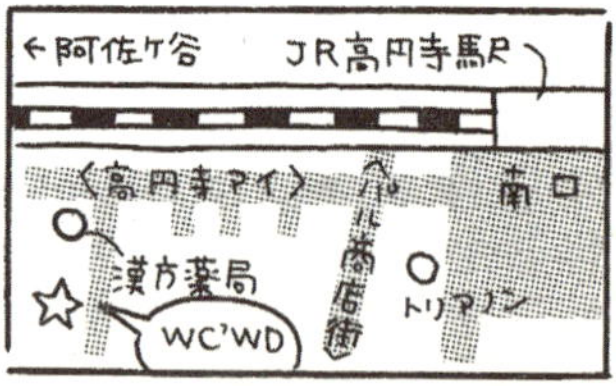

一〇〇字書評

切り取り線

本書の購買動機（新聞名か雑誌名か、あるいは○をつけてください）

＿＿＿新聞の広告を見て	雑誌の広告を見て	書店で見かけて	知人のすすめで

住　所	
なまえ	
年　齢	
職　業	

あなたにお願い

この本をお読みになって、どんな感想をお持ちでしょうか。右の「一〇〇字書評」を私までいただけたらありがたく存じます。今後の企画の参考にさせていただきます。

あなたの「一〇〇字書評」は新聞・雑誌などを通じて紹介させていただくことがあります。そして、その場合は、お礼として、特製図書カードを差しあげます。

右の原稿用紙に書評をお書きのうえ、このページを切りとり、左記へお送りください。電子メールでもけっこうです。

〒101―8701　東京都千代田区神田神保町三―六―五
九段尚学ビル　祥伝社　☎（三二六五）二〇八〇
祥伝社黄金文庫　編集長　小川　純
E-mail : ohgon@shodensha.co.jp

祥伝社黄金文庫

祥伝社黄金文庫　創刊のことば

「小さくとも輝く知性」――祥伝社黄金文庫はいつの時代にあっても、きらりと光る個性を主張していきます。

真に人間的な価値とは何か、を求めるノン・ブックシリーズの子どもとしてスタートした祥伝社文庫ノンフィクションは、創刊15年を機に、祥伝社黄金文庫として新たな出発をいたします。「豊かで深い知恵と勇気」「大いなる人生の楽しみ」を追求するのが新シリーズの目的です。小さい身なりでも堂々と前進していきます。

黄金文庫をご愛読いただき、ご意見ご希望を編集部までお寄せくださいますよう、お願いいたします。

平成12年(2000年)2月1日　　祥伝社黄金文庫　編集部

ベトナムで見《み》つけた　かわいい・おいしい・安《やす》い！

平成12年4月20日　初版第1刷発行
平成12年8月25日　第4刷発行

著者　杉《すぎ》浦《うら》さやか

発行者　渡辺起知夫

発行所　祥《しよう》伝《でん》社《しや》
東京都千代田区神田神保町3-6-5
九段尚学ビル　〒101-8701
☎03（3265）2081（販売）
☎03（3265）2080（編集）

印刷所　萩原印刷

製本所　ナショナル製本

万一、落丁・乱丁がありました場合は、お取りかえします。
ISBN4-396-31216-4　C0126

祥伝社のホームページ・http://www.shodensha.co.jp/